磚銘書法大系

兩晉至宋元磚銘書法

二

上海書畫出版社 編
黎旭 王立翔 主編

東晉（有紀年）

晉故男子琅耶臨沂都鄉南仁
里王闓之字含民故尚書左僕
射特進衛將軍彬之孫贛令興
之之元子年廿八升平二年三
月九日卒葬于舊墓在贛令墓

上海書畫出版社

前言

磚的古字爲『甓』『壁』『甎』『塼』，城磚可稱『墼』，井磚可稱『甃』等。古磚作爲古代文字的載體，其學術功能不遜於甲骨、青銅器、石刻、簡牘、法帖、書迹等傳統主流器物。由於銘文磚存世量大、覆蓋面廣、歷史跨度長，東漢以降幾乎每個歷史年代的銘文磚都有實物存世，而且磚銘内容資料豐富，書法風格面貌齊全，因此，古磚具有天然不可替代的學術特點。

清代中後期金石學振興之後，學者逐漸發現古磚銘對金石學研究具有重大價值，於是開展對古代磚銘的專門研究和著録。嚴福基《嚴氏古磚存》、吴廷康《慕陶軒古磚圖録》、陳璜《百甓齋古磚録》、陸心源《千甓亭古磚圖釋》、吕佺孫《百磚考》、吴隱《遯庵古磚存》、馮登府《浙江磚録》、宋經畬《磚文考略》等著作中收録的古磚銘，有着明顯的地域特色，多爲浙江地區出土的古代銘文磚銘。詳細記録古磚的出土資訊，對文字進行辨識，考證相關内容等，是這個時期著作的共同特點。但囿於當時印刷條件，對磚銘的形態，僅能依賴文字的描述，或雕鏤木版，縮摹仿真，難免與原貌有着相當大的差别。值得關注的是光緒十七年（一八九一）陸心源的《千甓亭古磚圖釋》，這是一部古磚銘著録中里程碑式的著作。從數量上來看，共輯録了一千三百二十餘種兩漢至元代不同的古磚銘拓本，遠超前人著作；從質量上來説，采用了當時較爲先進的石印印刷技術，比較真實地呈現了古磚銘的文字和圖案。此外，陸氏對每一種古磚拓本均標注尺寸、内容、出土地等資訊，并對其中相當一部分文字加以考釋。這一著録方式能直觀準確地反映磚銘的内容，逐漸爲此後古磚銘研究者所采用，影響深遠。民國時期古磚銘研究著作的主要特點是不再局限於一時一地，而是匯集不同時期、不同地域、不同種類的磚銘合集。如高翰生《上陶室磚瓦文捃》、鄒安《廣倉磚録》、王樹枏《漢魏六朝磚文》等。

書法研究是金石學者著録古磚銘的一個重要意圖。中國古代磚銘書法的姿態具有獨特的藝術韵味，從字體上來看，涵蓋了篆書、隸書、草書、行書、楷書等多種字體。時代的變遷與地區文化的差异，在古磚銘中同樣有着相當明顯的痕迹，古磚銘書法對於研究古代書體書風的嬗變有着重要作用。

兩晋南北朝磚銘書法，篆書、隸書、楷書、草書等書體都處在演變和發展階段，反映了彼時民間書寫群體作品的真實面貌，其『變』與『不穩定性』的特點，與成熟經典的書體相比，雖稍顯粗糙，但是所呈現出來的自然形態以及强烈的生命力和可塑性，正是定型後的書體所不能具備的，這些因素對科學地研究中國兩晉南朝書法史意義非凡。

隋唐時期的磚銘書法，基本圍繞着楷書而展開。隋代砖铭書法在點畫特徵的刻畫方面較爲草率，不衫不履，間架結構方面，則取當時流行的平正寬博之勢。唐代磚銘楷書書體的風格化更加豐富，且明顯存在對於當時名家書法的模仿。五代十國時期在磚銘書法方面，無復隋唐時期的規模與高度，多以隸書或者受到隸書影響的楷書爲主，在整體的製作水平、藝術高度方面，已然呈現頹勢，再難以與前代相頡頏。遼、金磚銘書法均为楷書，書法風格具有明顯的歐體、顔體的特徵。元代磚銘，整體仍以楷書爲主，但也有一定數量的隸書磚銘，而且書法水準比兩宋的隸書磚銘的水準更高、更純粹。兩宋時期磚銘書法與時代主流書風嚴重脱節，一方面源於隋唐以後書體演變的最終完成，由重書體而轉變爲重風格的表現；另一方面，宋代民間書法的進一步行業化，更多關注書法的實用功能，故而處於民間階層的兩宋磚銘，在接續隋唐五代以後逐漸走向凋敝。

『磚銘書法大系』計兩輯八册，此輯爲兩晉至宋元卷，共計四册，集中體現了這一時期磚銘書法的時代、地域風格特征，是我們研究書法史、進行書法創作不可或缺的珍貴資料。

目録

東晉（有紀年）

建武元年紀氏磚
釋文：建武元年太歲在丁丑紀氏造立

建武元年紀氏磚
釋文：建武元年太歲丁丑紀氏造

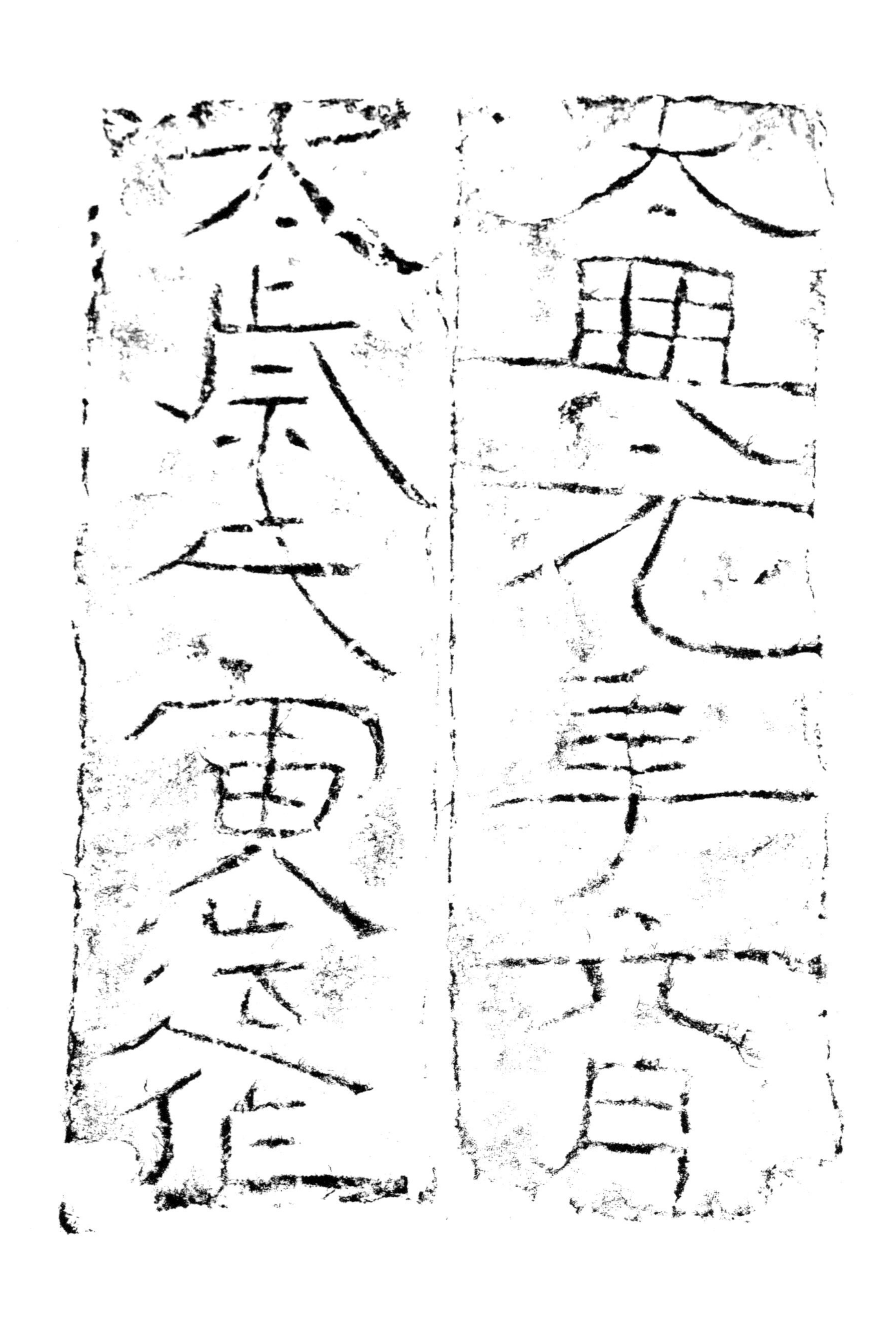

大興元年磚

釋文：太興元年六月
太歲戊寅造作

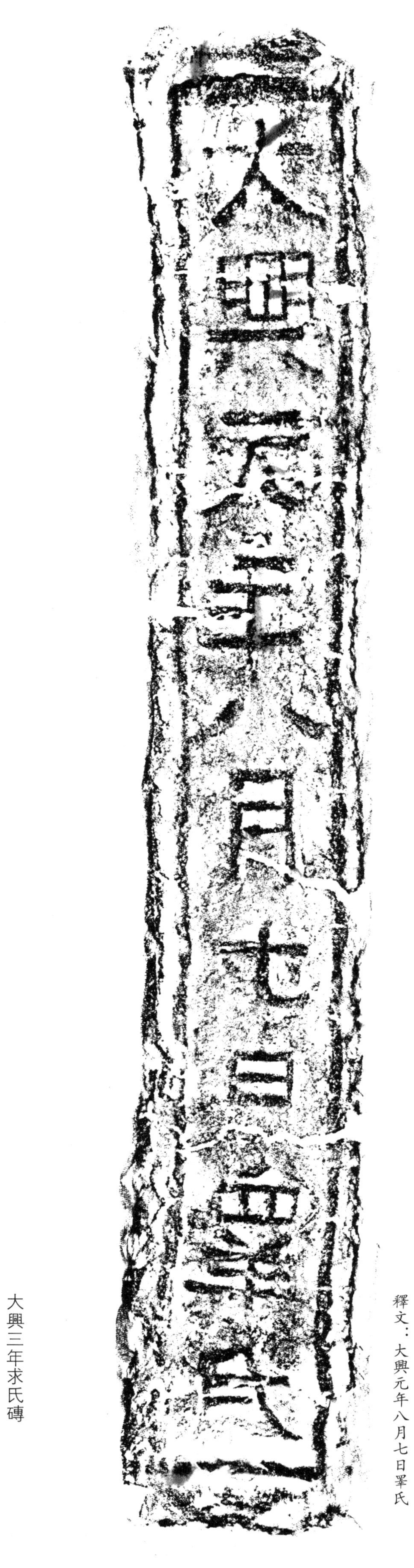

大興元年睪氏磚

釋文：太興元年八月七日睪氏

大興三年求氏磚

釋文：太興三年求氏作

大興四年磚
釋文：太興四年太歲巳

大興四年磚

釋文：大興三年甲辰八月十三日乙巳作十世

大興四年磚

釋文：大興三年甲辰八月十三日乙巳作十世建

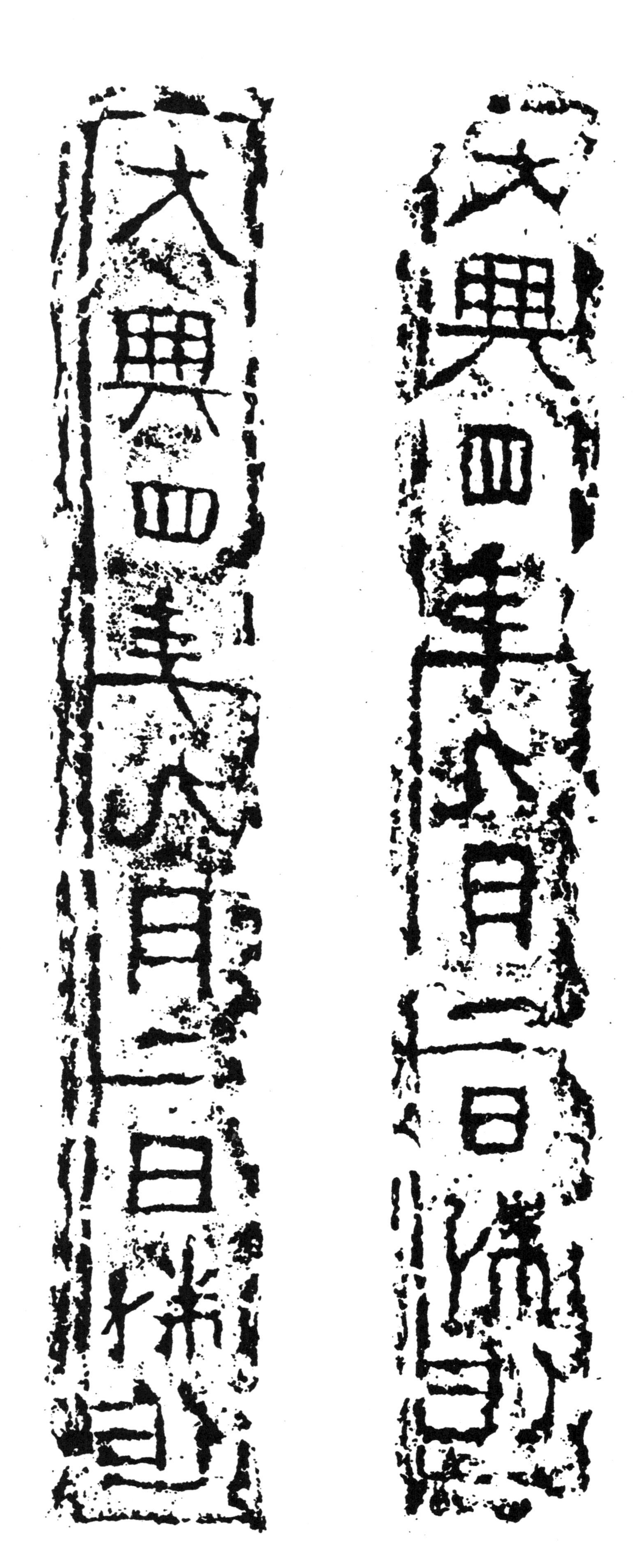

大興四年磚

釋文：大興四年九月二日制作
大興四年九月二日制作

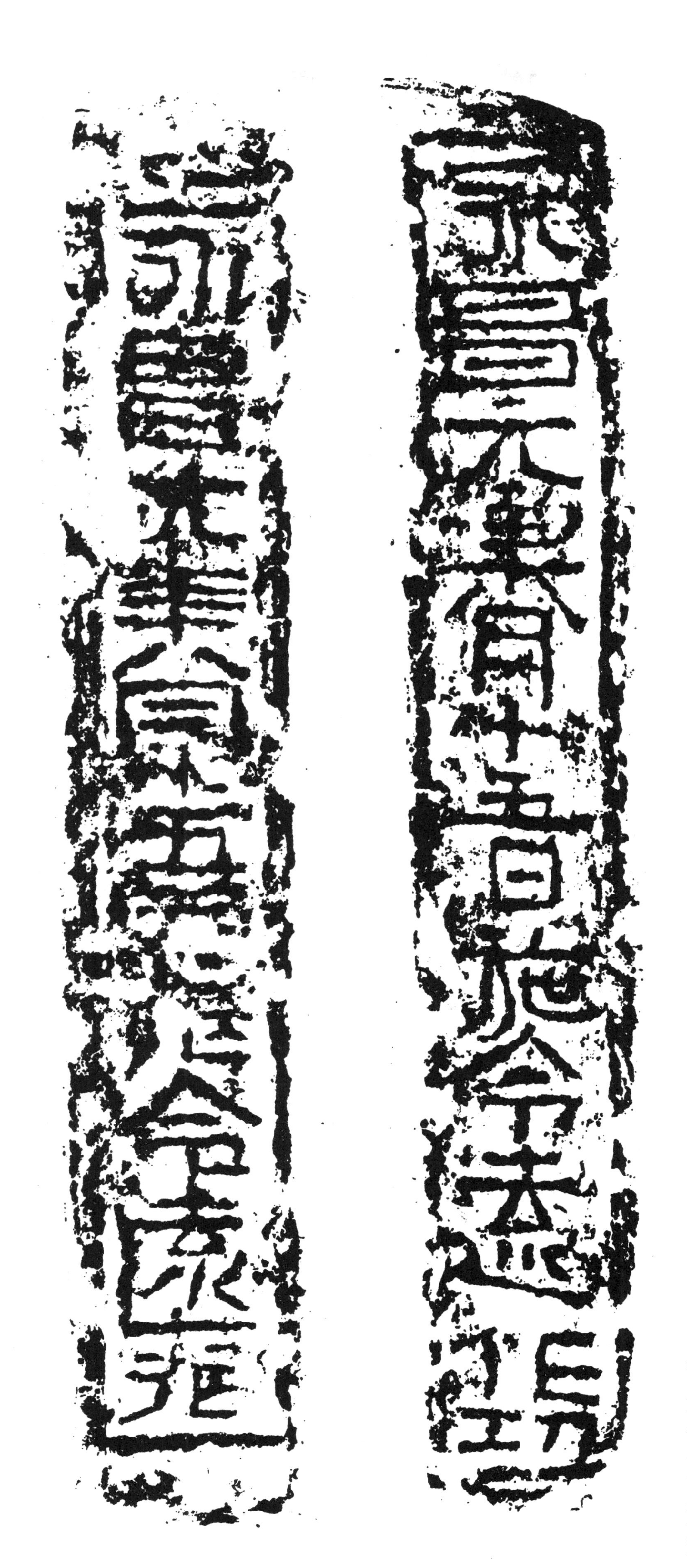

永昌元年施令遠磚

釋文：永昌元年八月十五日施令遠作功

永昌元年八月十五日施令遠作

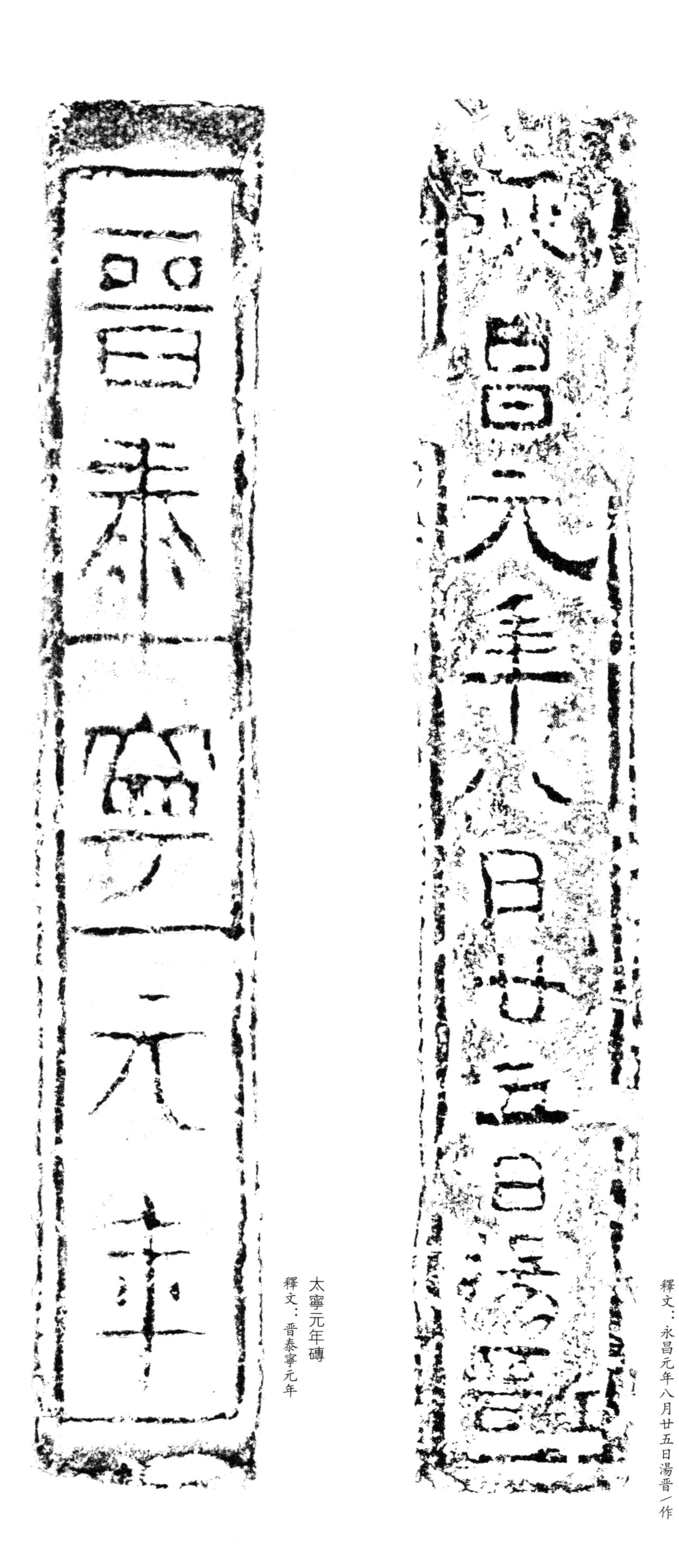

太寧元年磚
釋文：晋泰寧元年

永昌元年湯晋磚
釋文：永昌元年八月廿五日湯晋一作

太寧元年磚

釋文：大寧元年七月丙子朔萬歲

太寧元年柳張磚

釋文：太寧元年八月柳張

大寧元年磚

釋文：大寧元年八月造

太寧元年長氏磚

釋文：泰寧年八月長
太寧一年八月十日

咸和元年劉氏母磚

釋文：晋咸和元年歲在丙戌附馬都尉劉氏母墓

咸和二年陳氏磚

釋文：咸和二年陳氏

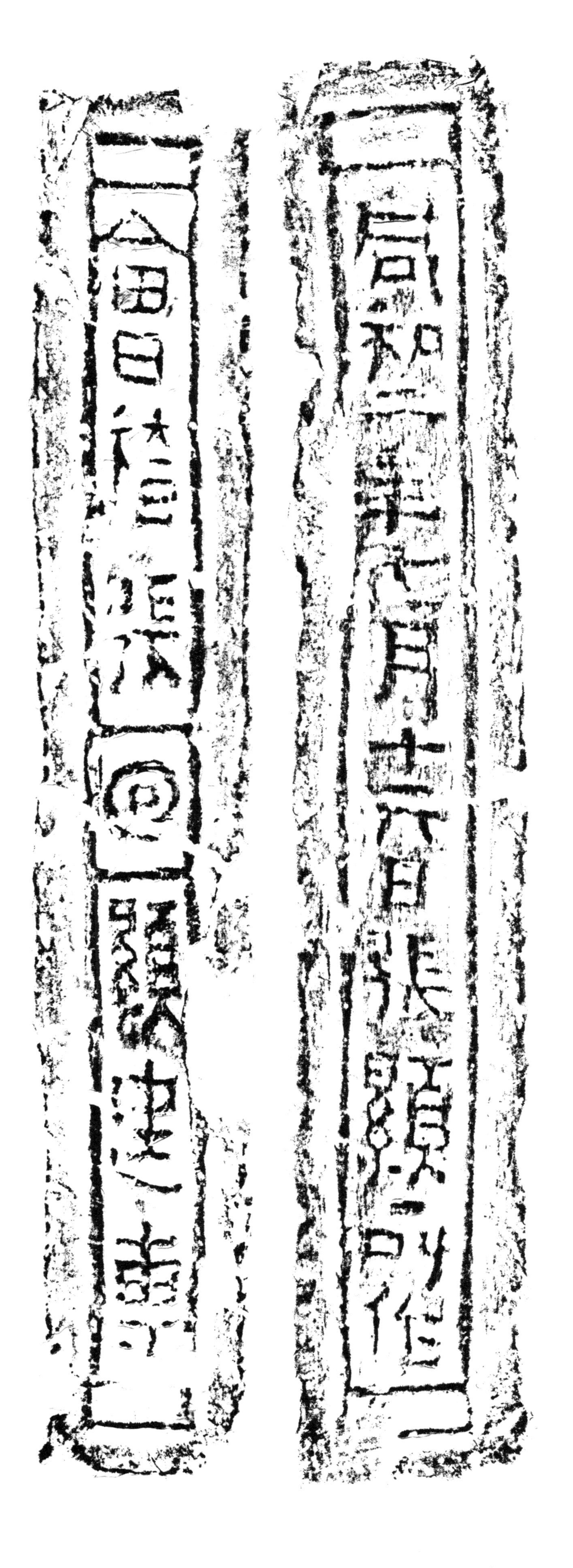

咸和二年張顯磚

釋文：咸和二年七月十六日張顯所作
會稽張顯建專

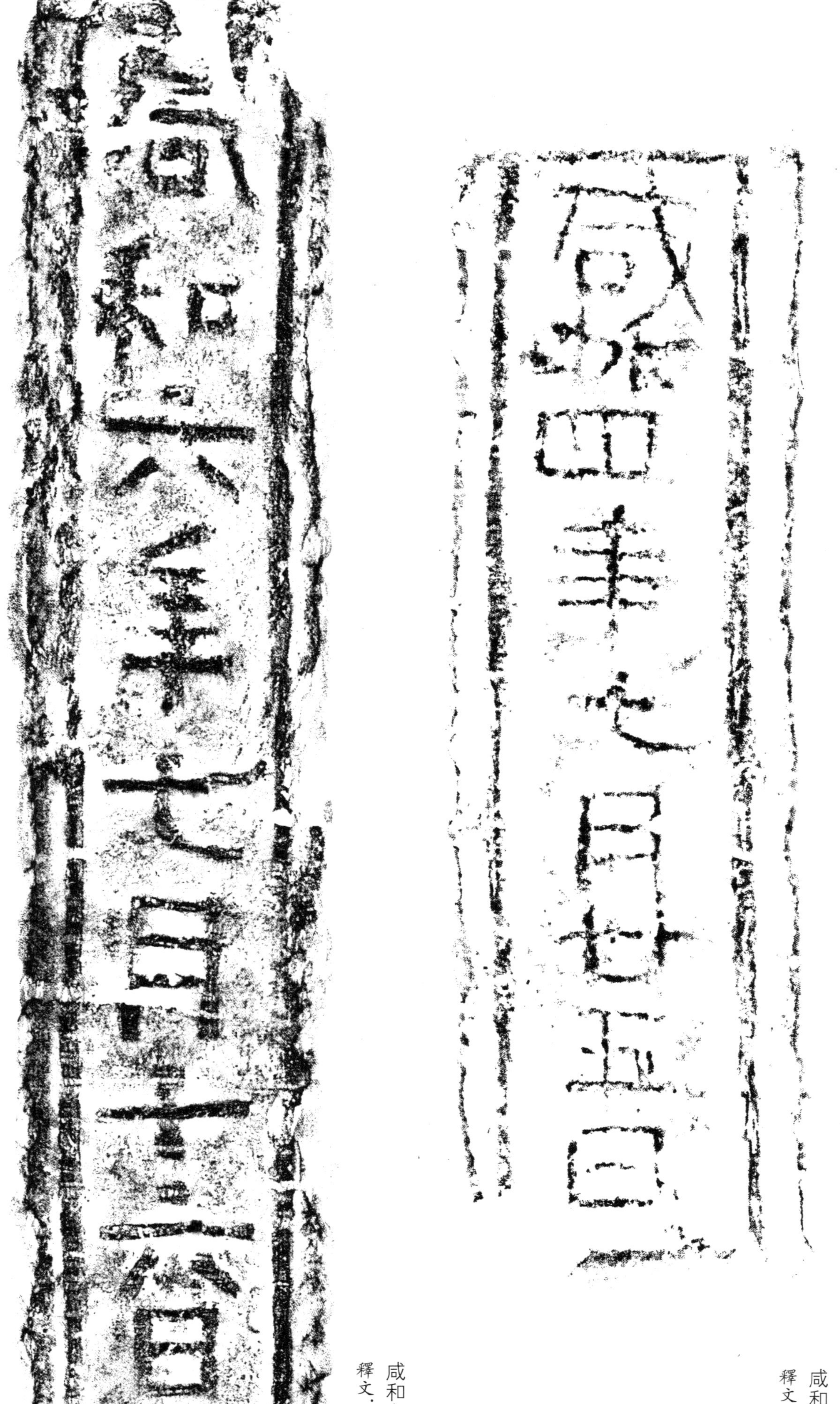

咸和六年磚
釋文：咸和六年七月十六日作

咸和四年磚
釋文：咸和四年七月廿五日

咸和六年章氏塼
釋文：咸和六年八月十日己丑朔章秨壁

咸和六年塼
釋文：咸和六年月丑朔十日造作壁

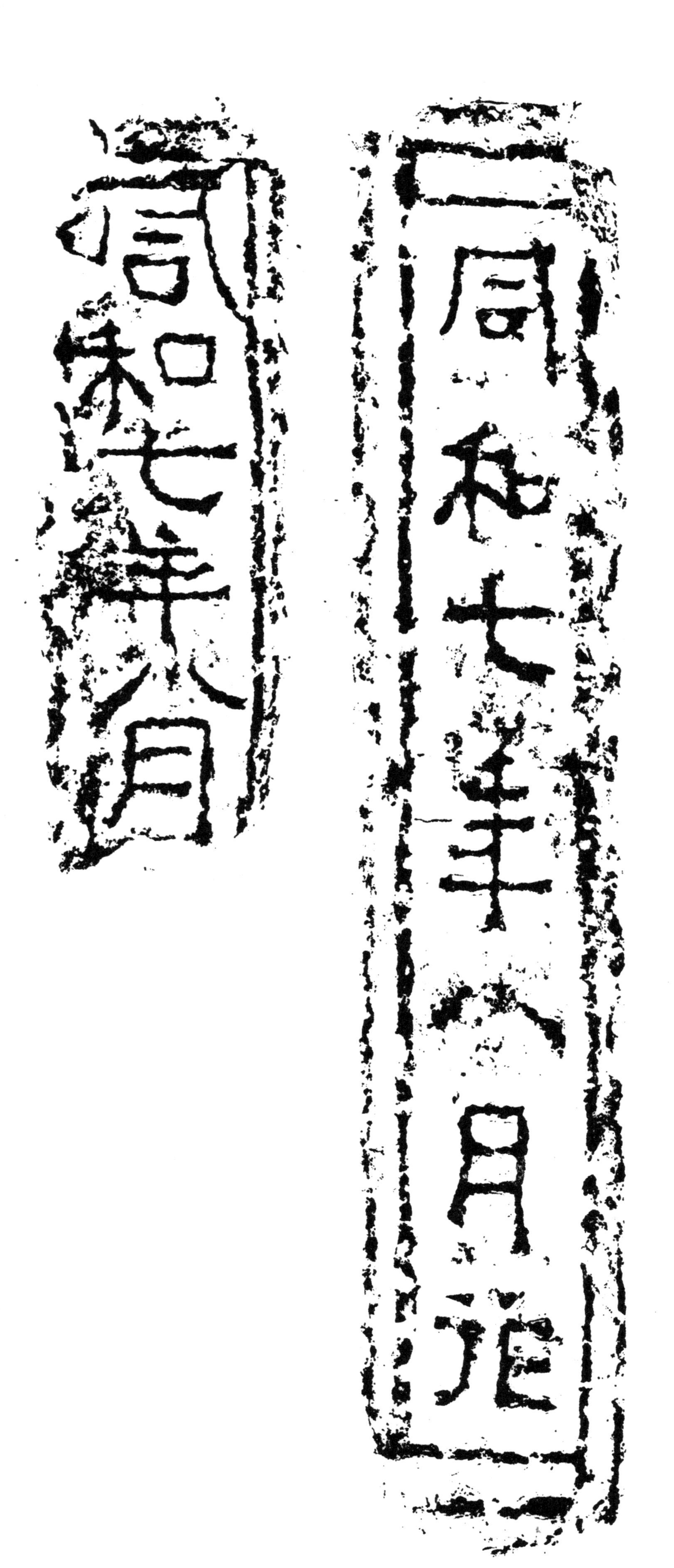

咸和七年磚
釋文：咸和七年八月作
咸和七年八月

咸和八年磚

釋文：晉咸和八年歲在癸巳

咸和八年八月十六日作

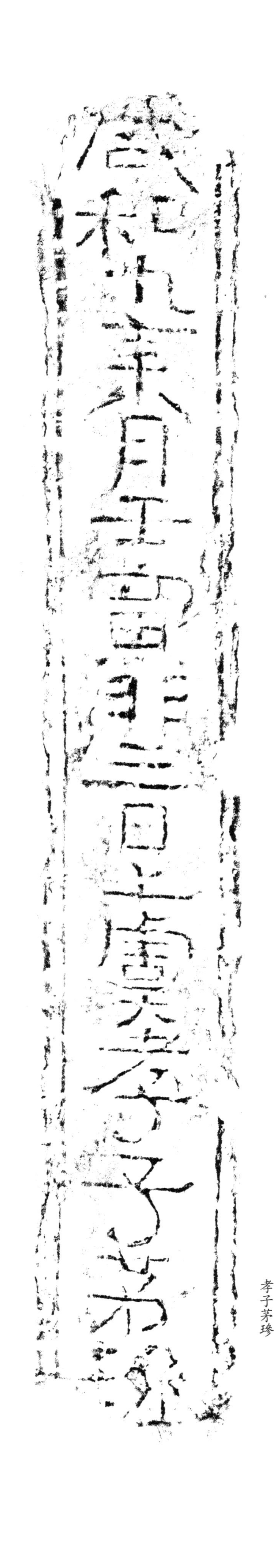

咸和九年茅璲磚

釋文：咸和九年八月壬寅朔三日上虞孝子茅璲

咸和九年磚

釋文：咸和九年太歲在甲午八月十日作

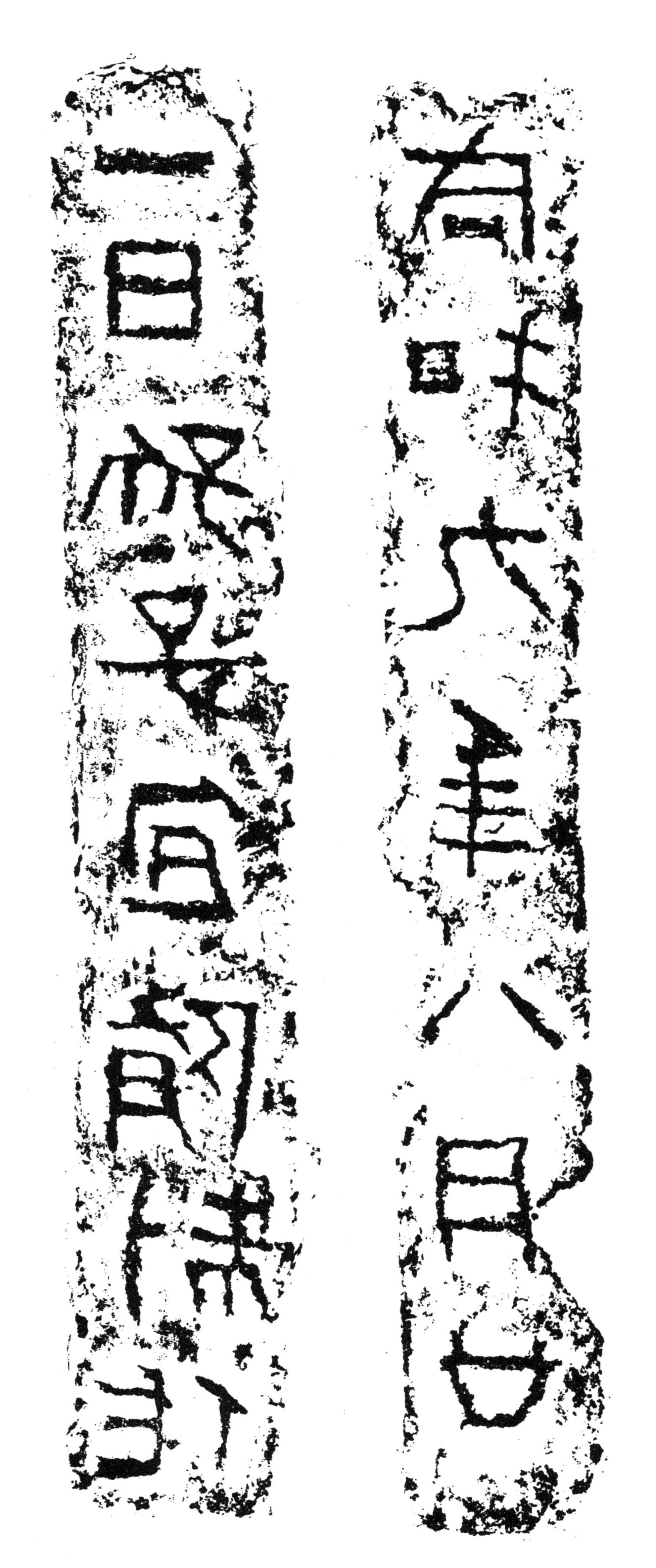

咸和九年宣隋磚

釋文：咸和九年八月廿一日孤子宣隋制作

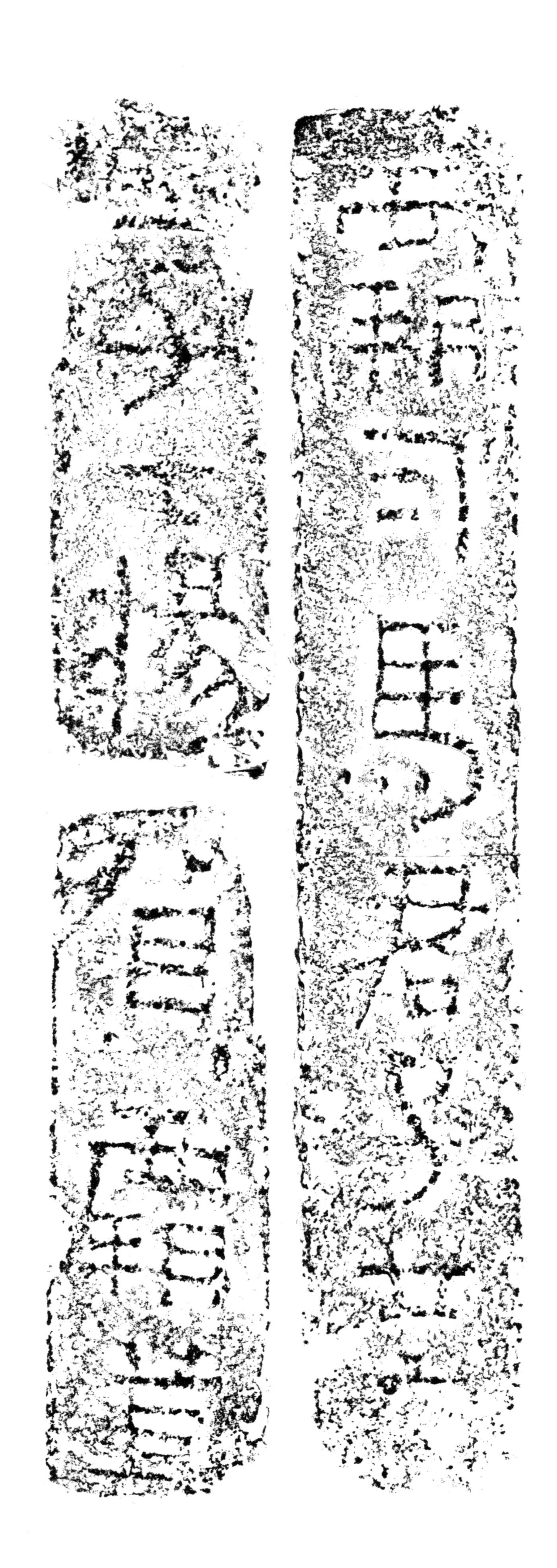

咸康三年賀氏磚

釋文：霸司馬君子□□

字士杨

賀霸墓

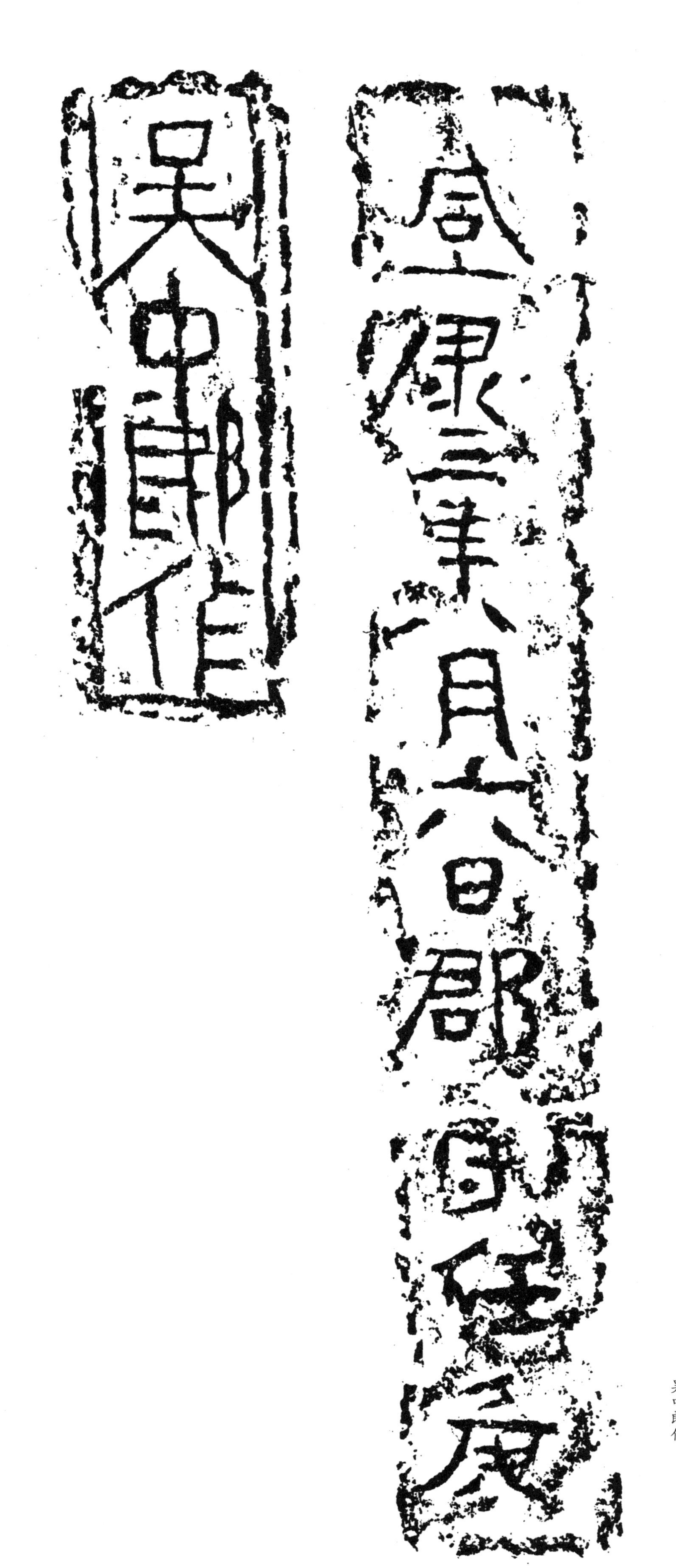

咸康三年任侯磚

釋文：咸康三年八月六日郡守任侯

吳中郎作

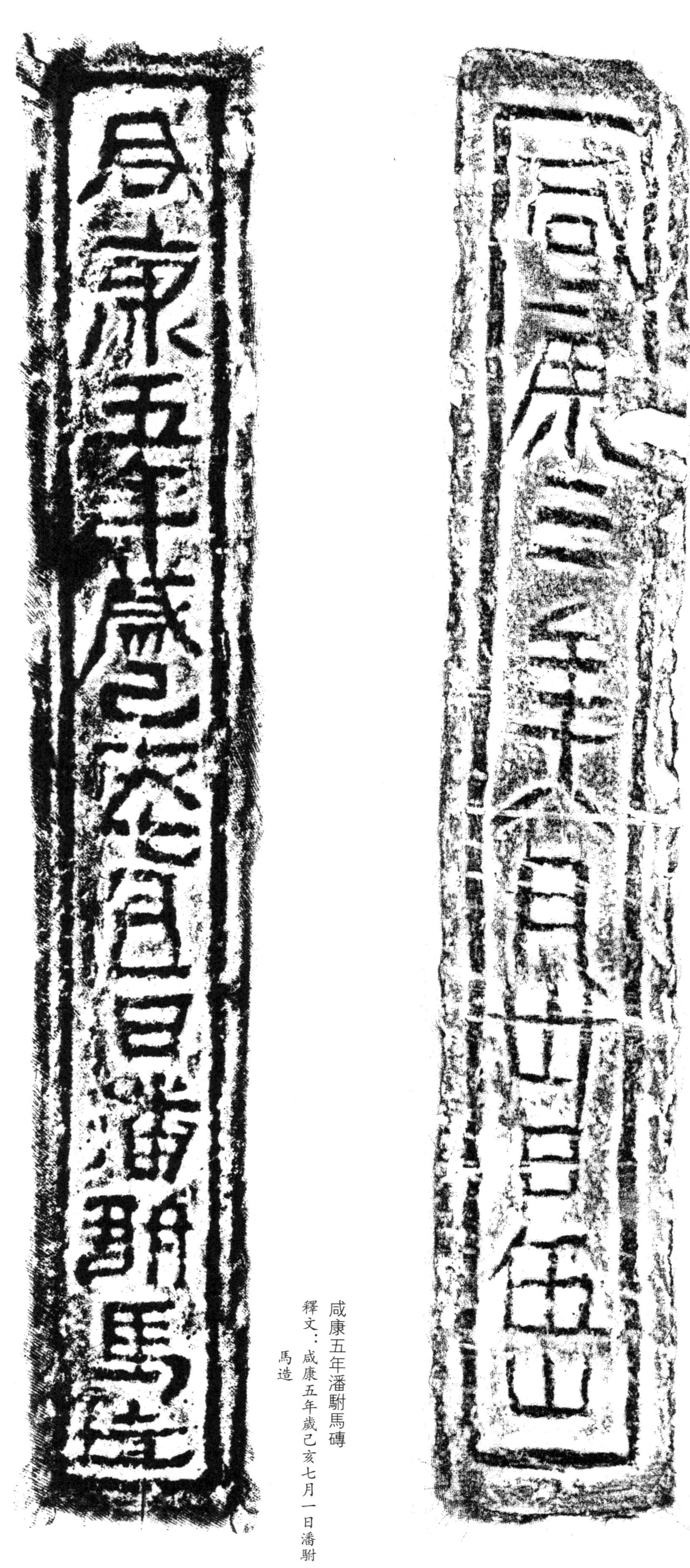

咸康五年潘駙馬磚
釋文：咸康五年歲己亥七月一日潘駙馬造

咸康三年伍山磚
釋文：咸康三年八月卅日伍山

咸康七年黄氏磚

釋文：咸康七年八月十日黄氏

咸康八年俞氏磚

釋文：咸康八年俞孝□

咸康八年萬石公磚

釋文：咸康八年萬石公

建元元年陳氏磚

釋文：建元元年癸卯晉故太常都講陳君冢

建元元年朱祖嚴磚之一
釋文：建元元年八月朱祖嚴

建元元年朱祖嚴磚之二
釋文：建元元年八月朱祖嚴

建元二年磚

釋文：晉□建元二年歲在辰八月十日□

建元年徐氏磚

釋文：建元年七月廿日徐作

永和元年賀君墓磚

釋文：永和元年

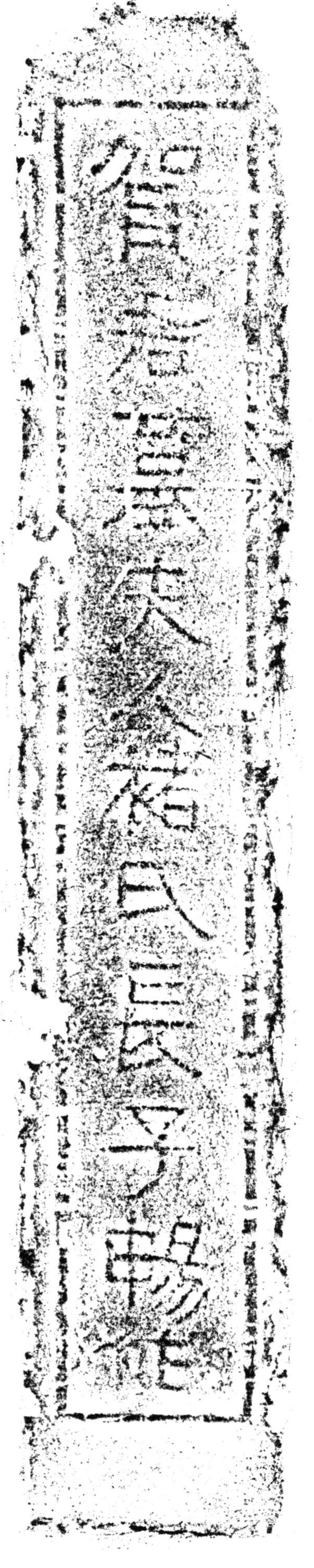

永和元年賀君墓褚夫人磚

釋文：賀君墓夫人褚氏長子暢作

永和元年賀君墓任夫人磚

釋文：賀君墓夫人任長子苻

永和元年兒隴磚

釋文：晋永和元年辛巳堂邑兒隴墓

永和元年磚

釋文：永和元年八月十日

永和元年顏謙婦劉氏墓誌磚

釋文：琅邪顏謙婦劉氏／年卅四以晉永和元年／七月廿日亡九月葬

永和二年磚

釋文：永和二年丙午歲七月廿四日作

永和二年華氏磚

釋文：永和二年太歲丙午八月華氏之墓

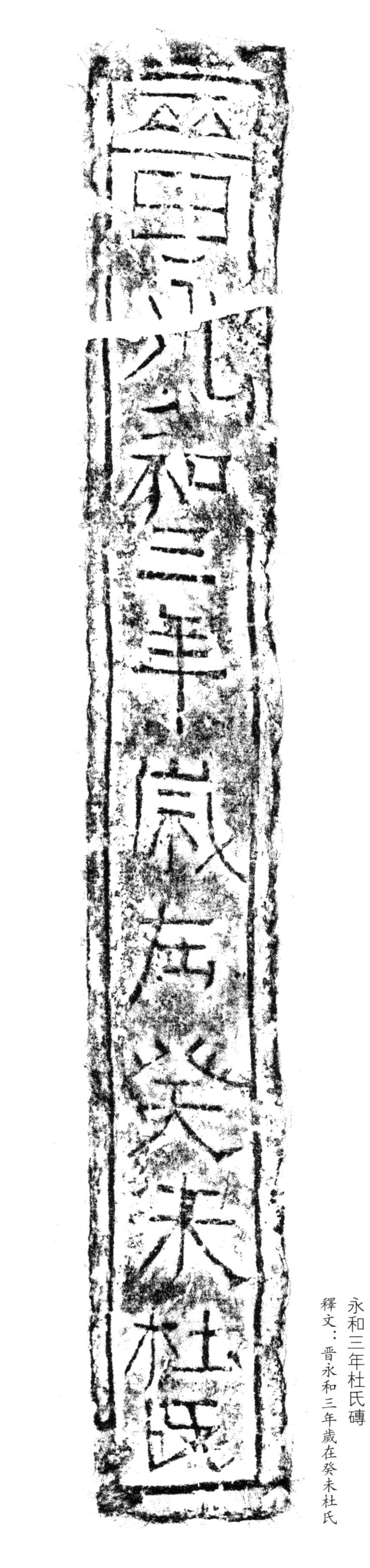

永和三年杜氏磚

釋文：晋永和三年歲在癸未杜氏

永和四年賀君磚

釋文：永和四年歲在戊申晋故宛陵令都鄉侯賀君之廓

永和四年磚

釋文：邑閭以永和四年七月廿一日立

永和四年劉氏磚

釋文：永和四年太歲卯申八月一日劉氏作

永和四年磚
釋文：永和四年大歲庚申八月廿二日起

永和五年磚
釋文：永和五年立

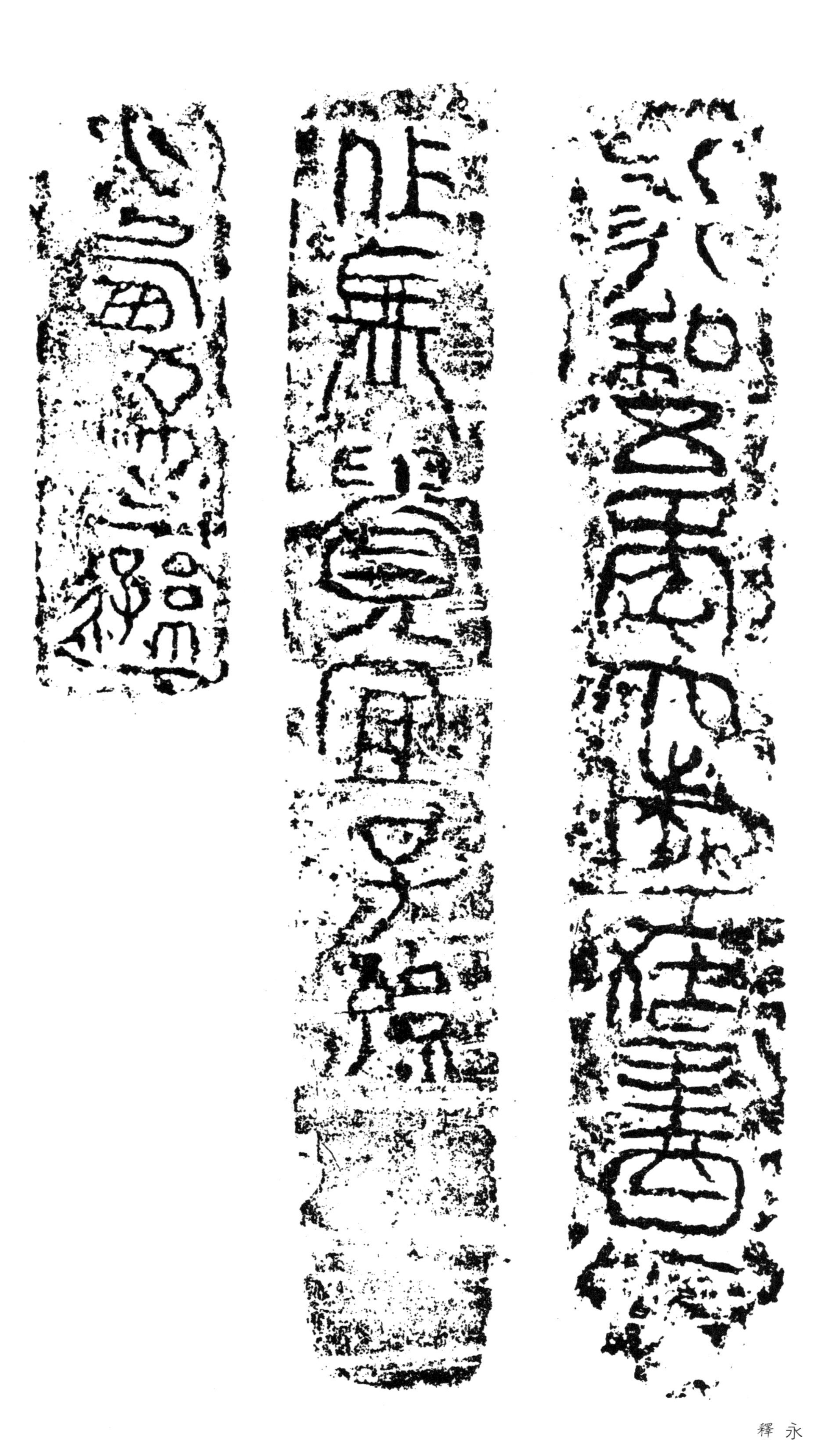

永和五年磚

釋文：永和五年太歲在辛酉作長貴宜子孫□西□□遜

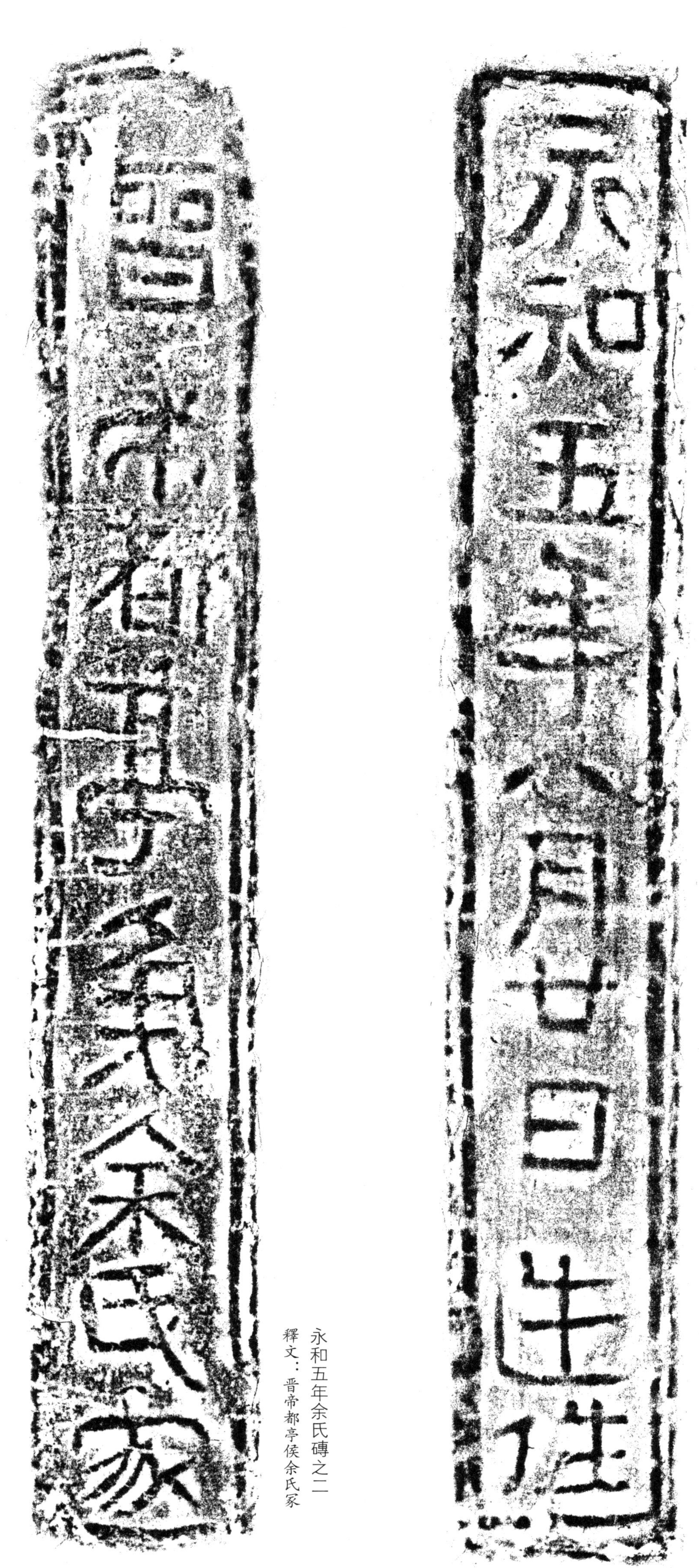

永和五年余氏磚之一
釋文：永和五年八月廿日造作

永和五年余氏磚之二
釋文：晉帝都亭侯余氏冢

永和五年磚

釋文：永和五年八月十日袁子□是作

永和六年莫龍編侯磚

釋文：永和六年大歲庚戌莫龍編侯之墓

永和六年富氏磚之一

釋文：永和六年太歲在庚

永和六年富氏磚之二

釋文：七月廿五日富君甫

永和六年富氏磚之三

釋文：永和六年大歲庚戌富君甫作

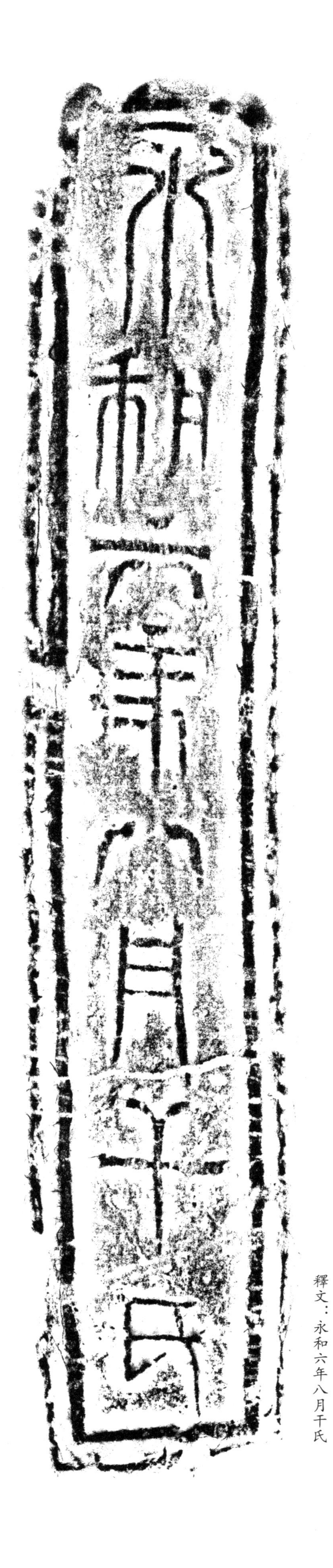

永和六年干氏磚

釋文：永和六年八月干氏

永和六年夏氏磚

釋文：永和六年九月二日夏位中郎

永和七年磚

釋文：晋故永和七年歲辛□

永和七年董氏磚
釋文：永和七年八月廿一日董長□

永和八年莘記磚
釋文：永和八年七月十日莘記立

永和八年莘記磚
釋文：永和八年七月十日莘記立

永和八年磚
釋文：永和八年七月廿八日

永和九年磚

釋文：永和九年

永和九年磚

釋文：永和九年作

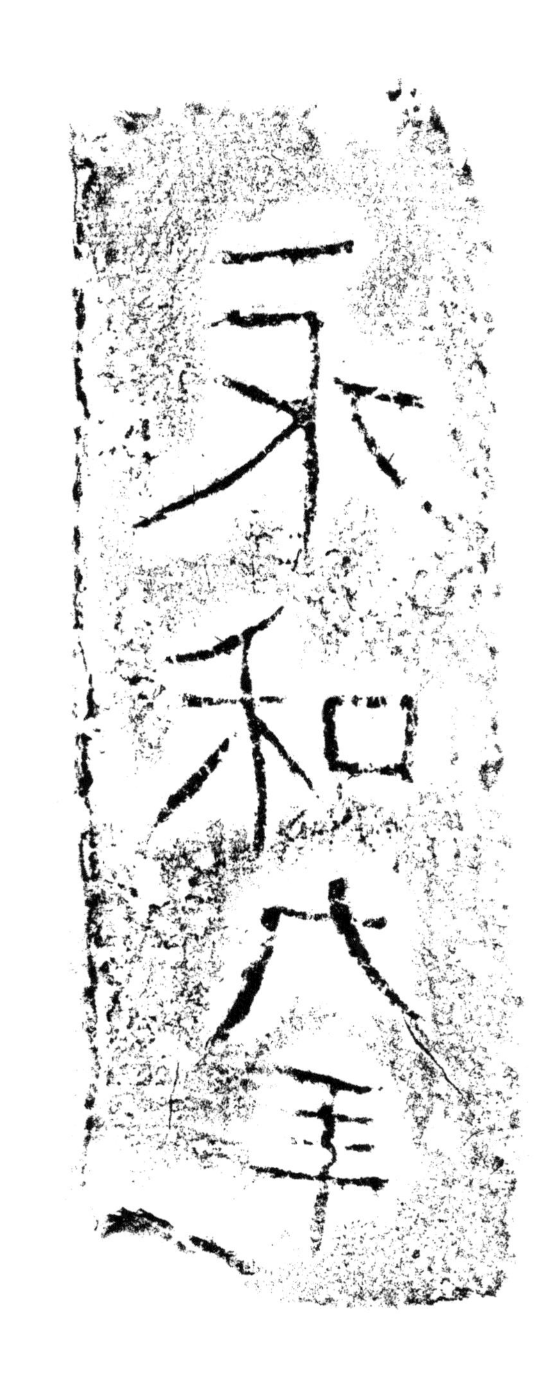

永和九年磚

釋文：永和九年

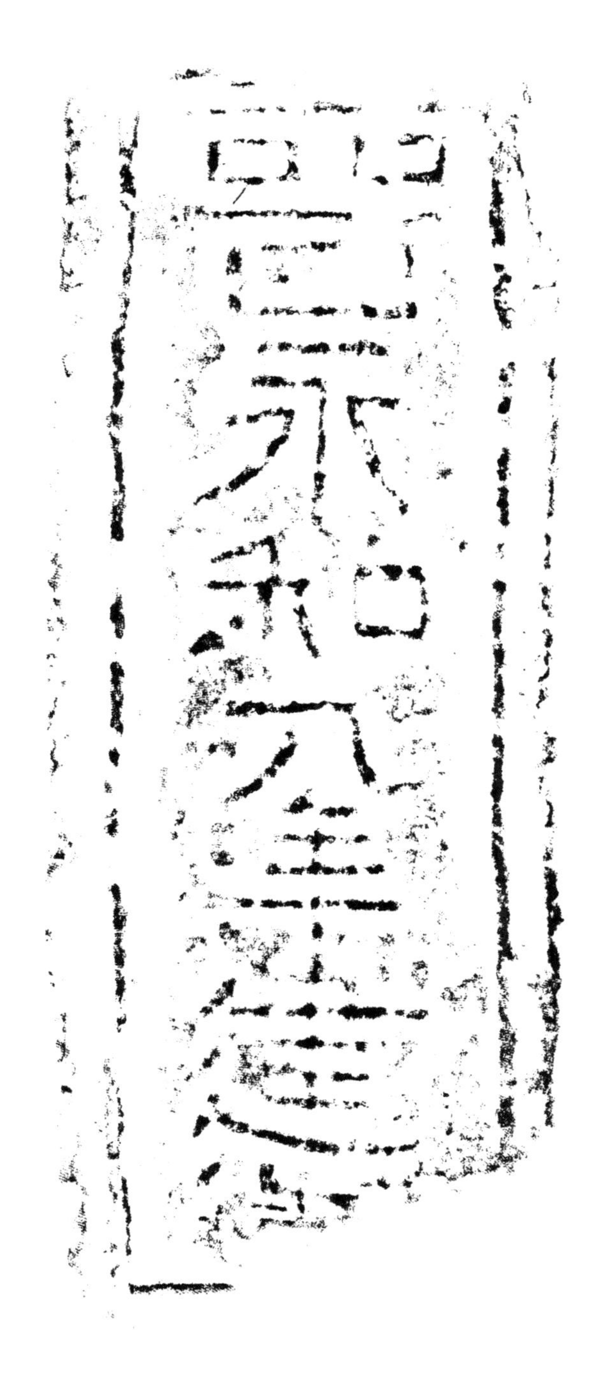

永和九年磚

釋文：晋永和九年建造

永和九年磚

釋文：永和九年六月廿日故

永和九年磚

釋文：永和九年七月廿日

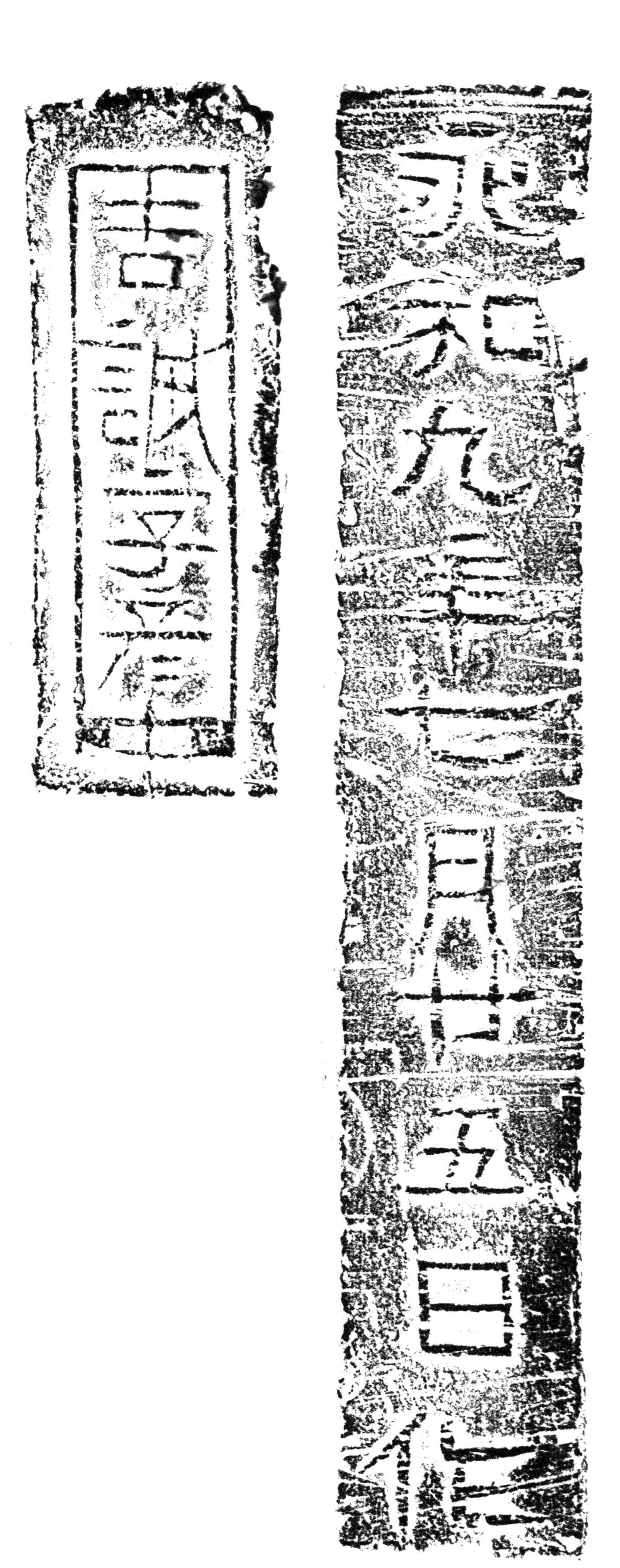

永和九年吉誠磚

釋文：永和九年七月廿五日作

吉誠字彦中

永和九年朱氏磚

釋文：永和九年八月朱氏立

永和九年磚

釋文：永和九年八月一日立工

永和九年磚

釋文：永和九年八月十□

長一尺七寸廣八寸

永和十年石治磚

釋文：永和十年晉故左軍司馬長子石治作

永和十一年虞氏磚

釋文：永和十一年歲乙卯七月虞氏

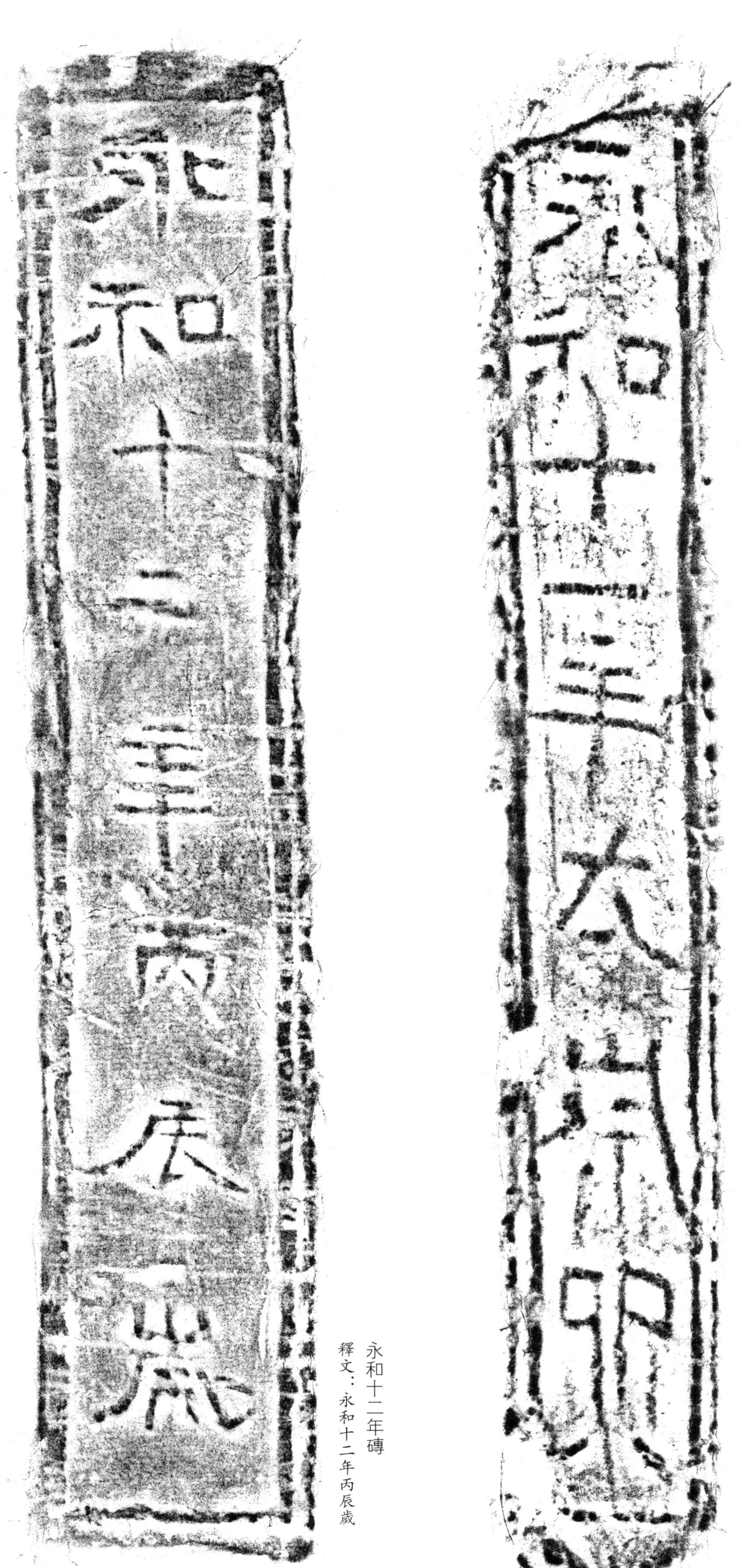

永和十二年磚
釋文：永和十二年丙辰歲

永和十一年磚
釋文：永和十一年太歲卯八

永和十二年高崧妻謝氏墓誌磚

釋文：鎮西長史騎都尉建昌伯/廣陵高崧夫人會稽謝氏/永和十一年十二月七日/薨十二年三月廿四日窆

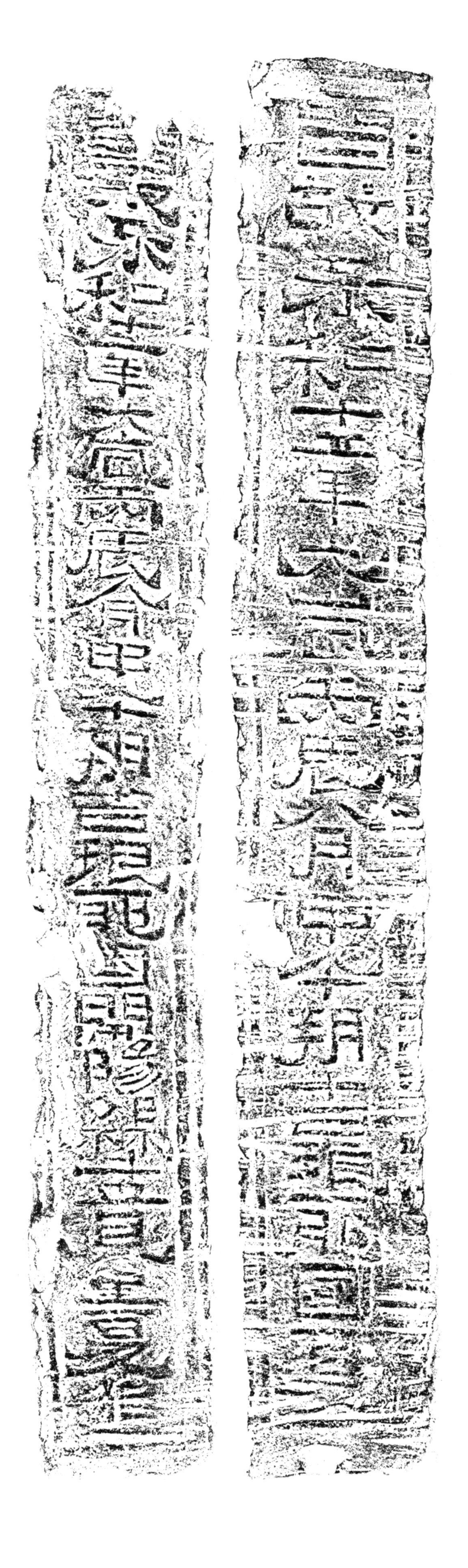

永和十二年夏氏磚

釋文：晋故永和十二年太歲丙辰八月甲午朔十日琅邪國夏

晋故永和十二年大歲丙辰八月甲午朔十日琅邪國開陽縣上貴里夏作

永和十二年王康之墓誌磚

釋文：永和十二年十月十七日晉/故男子琅邪臨沂王康之字/承叔年廿二卒其年十一月/十日塟於白石故刻塼爲識

正面

背面

升平元年劉剋墓誌磚

釋文：正面：東海郡郯縣都／鄉容丘里劉剋／年廿九字彥成

背面：晉故升平／元年十二／月七日亡

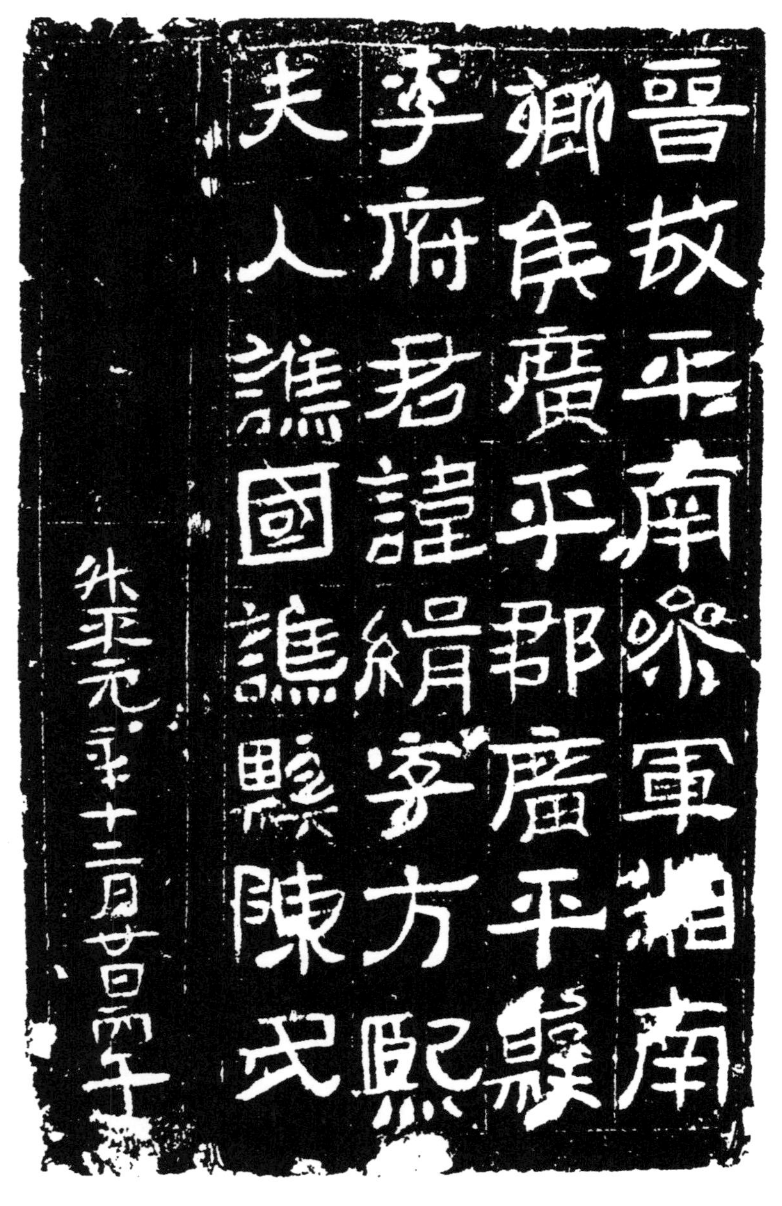

側面　　正面

升平元年李緝墓誌磚

釋文：正面：晋故平南參軍湘南/鄉侯廣平郡廣平縣/李府君諱緝字方熙/夫人譙國譙縣陳氏

側面：升平元年十二月廿日丙午

側面　　正面

升平元年李纂妻武氏墓誌磚

釋文：正面：晉撫軍參軍廣平郡∕廣平縣李纂故妻潁∕川郡長社縣武氏
側面：升平元年十二月廿日丙午

正面

升平二年王閩之墓誌磚之一

釋文：正面：晉故男子琅邪臨沂都鄉南仁／里王閩之字治民故尚書左僕／射特進衛將軍彬之孫贛令興／之之元子年廿八升平二年三／月九日卒葬於舊墓在贛令墓

背面

升平二年王閩之墓誌磚之二

釋文：背面：之後故刻塼於墓爲識／妻吴興施氏字女式／弟嗣之咸之預之

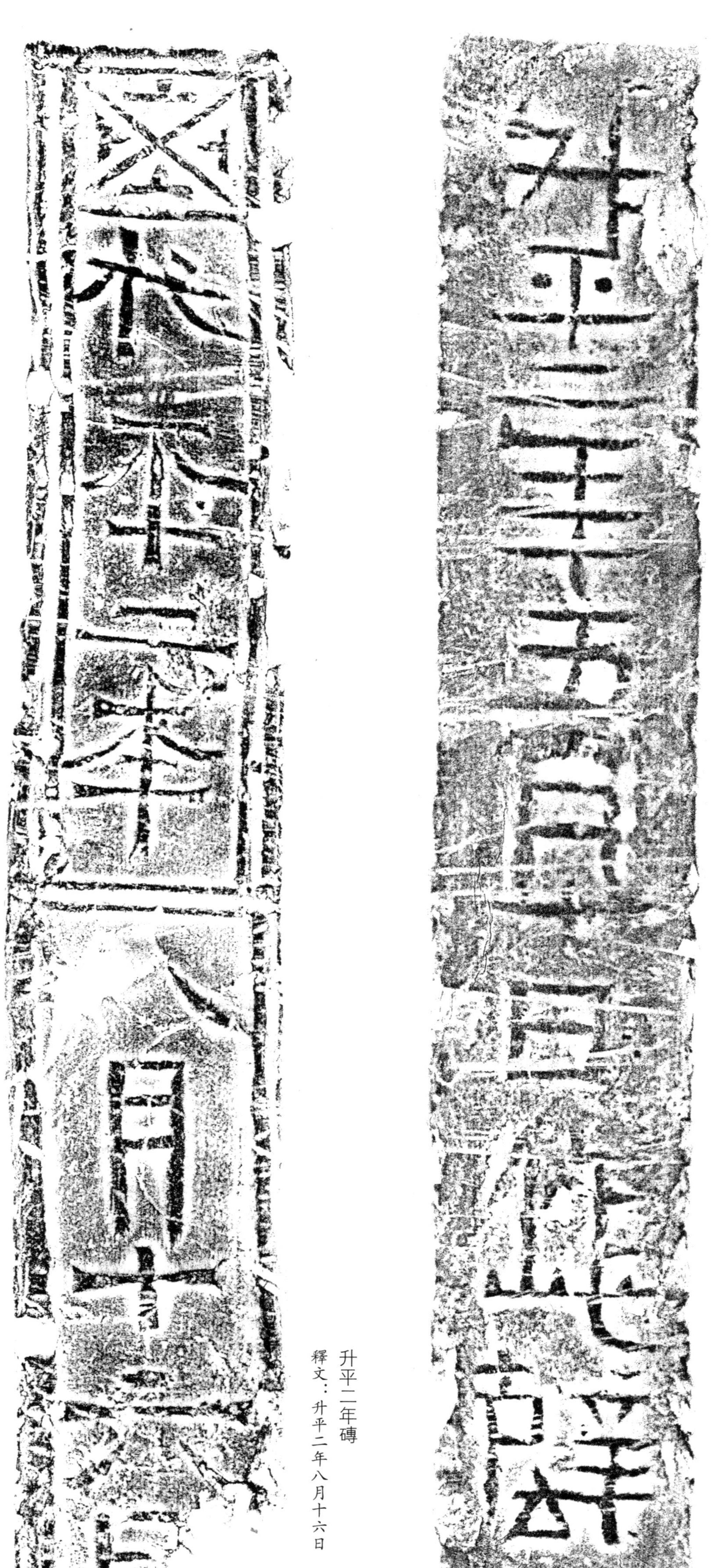

升平二年磚
釋文：升平二年五月十日作此壁

升平二年磚
釋文：升平二年八月十六日

升平三年王丹虎墓誌磚

釋文：晋故散騎常侍特進衛將軍尚書左／僕射都亭肅侯琅邪臨沂王彬之長／女字丹虎年五十八升平三年七月／廿八日卒其年九月卅日塟於白／石在彬之墓右刻塼爲識

隆和元年何氏磚

釋文：隆和元年八月十日何氏造

興寧元年曾馬城磚

釋文：曾馬城字君陽興寧元年

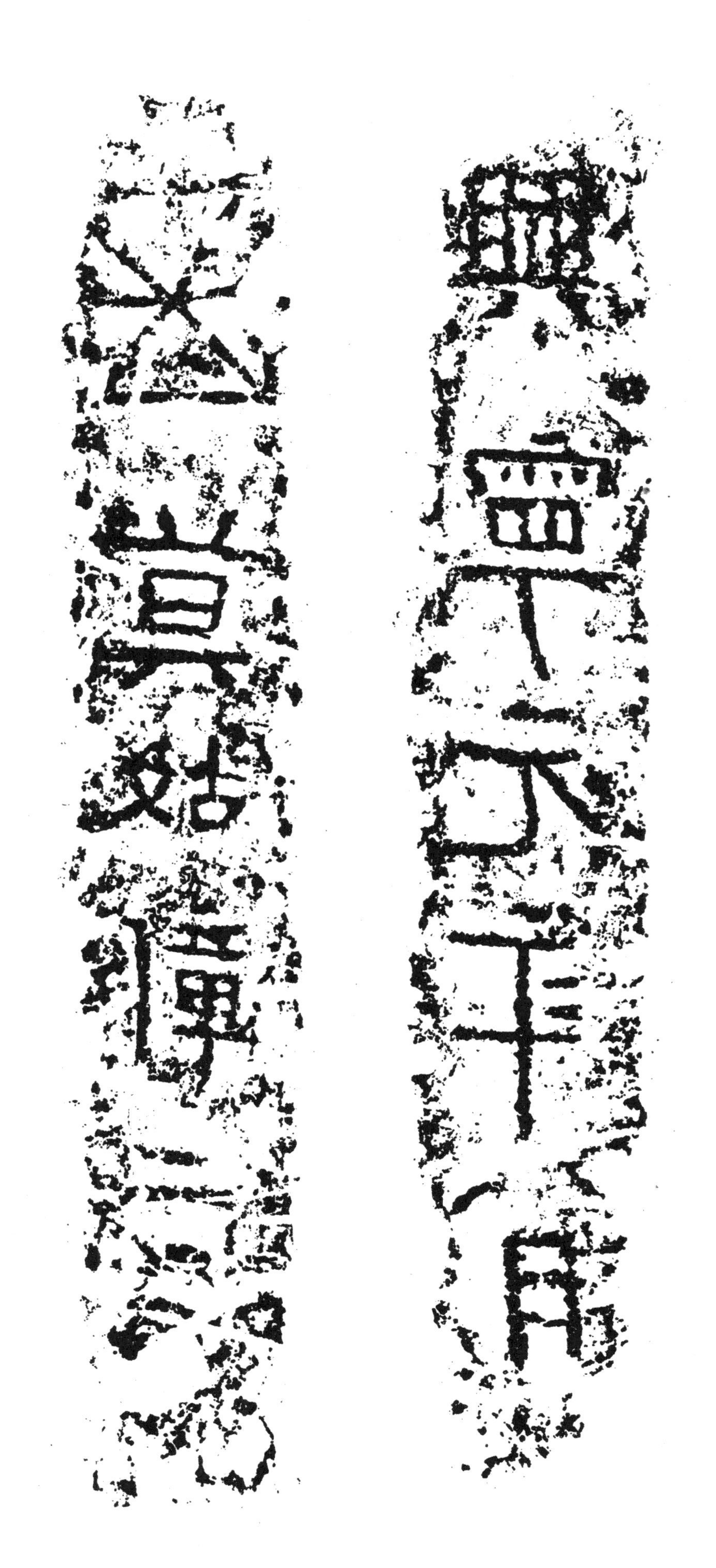

興寧元年莫氏磚

釋文：興寧元年八月

莫故郭立

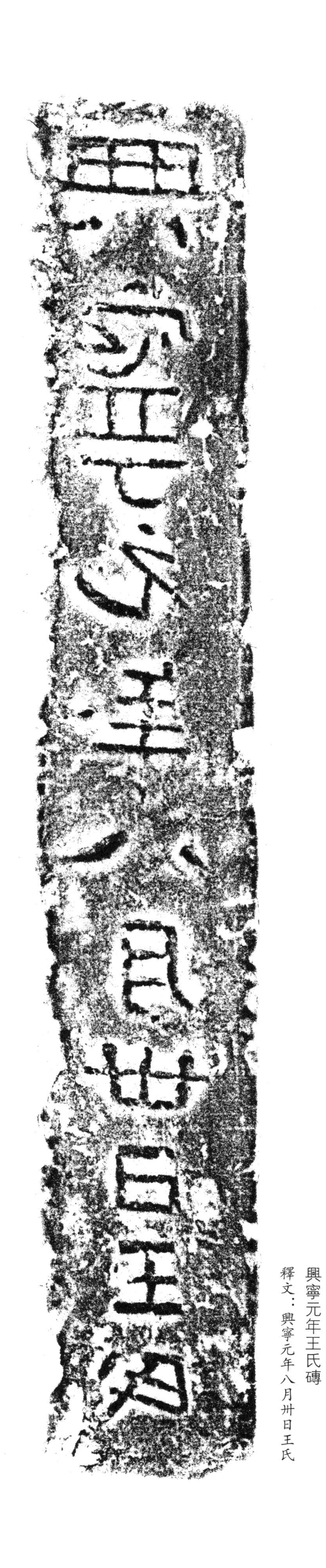

興寧元年王氏磚
釋文：興寧元年八月卅日王氏

興寧二年磚
釋文：興寧二年七月

興寧二年磚
釋文：興寧二年太歲在癸丑九月十日作

興寧二年萬氏磚
釋文：晉興寧二年八月廿七日萬建功

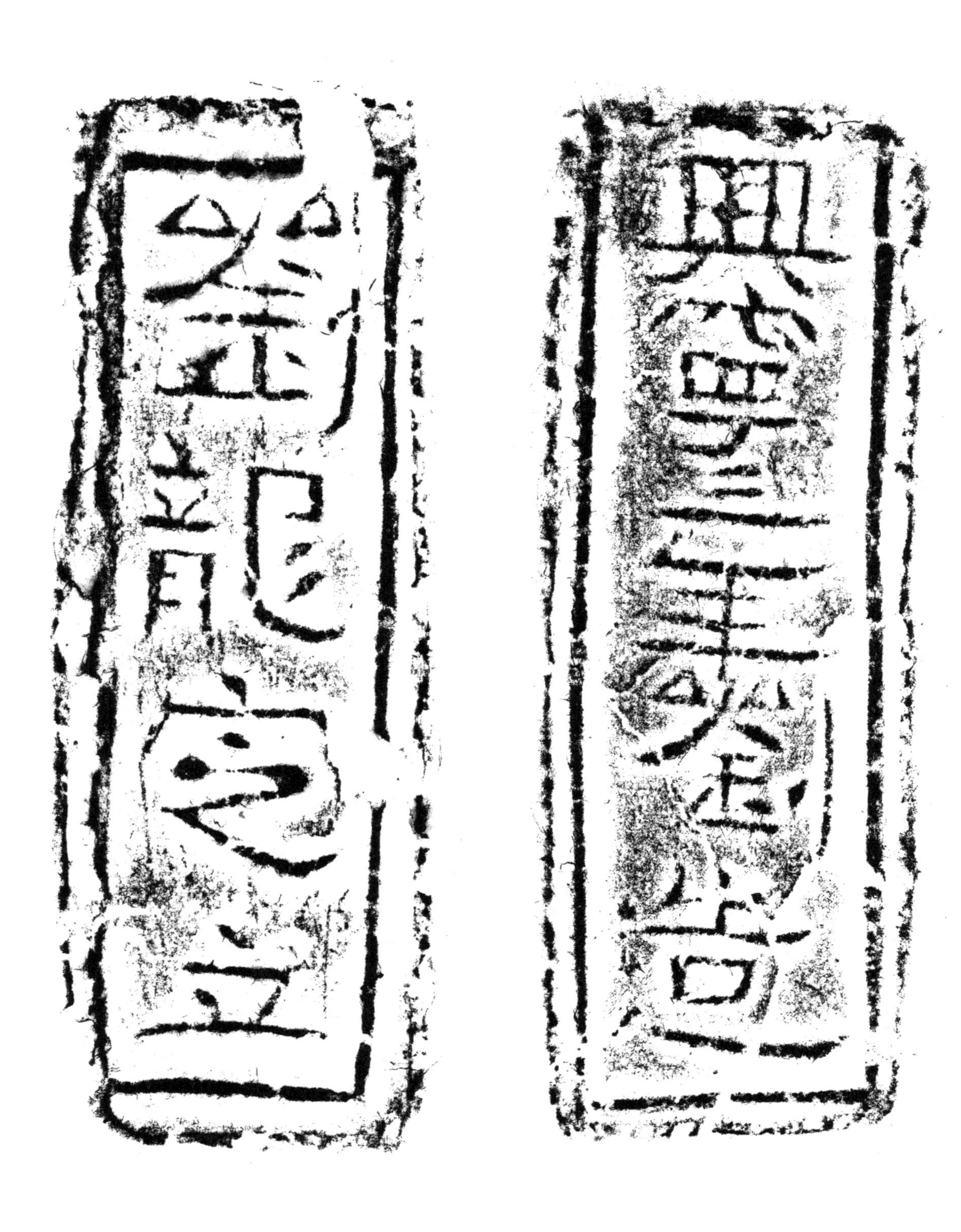

興寧三年劉氏磚之一
釋文：興寧三年劉造

興寧三年劉氏磚之二
釋文：劉龍定立

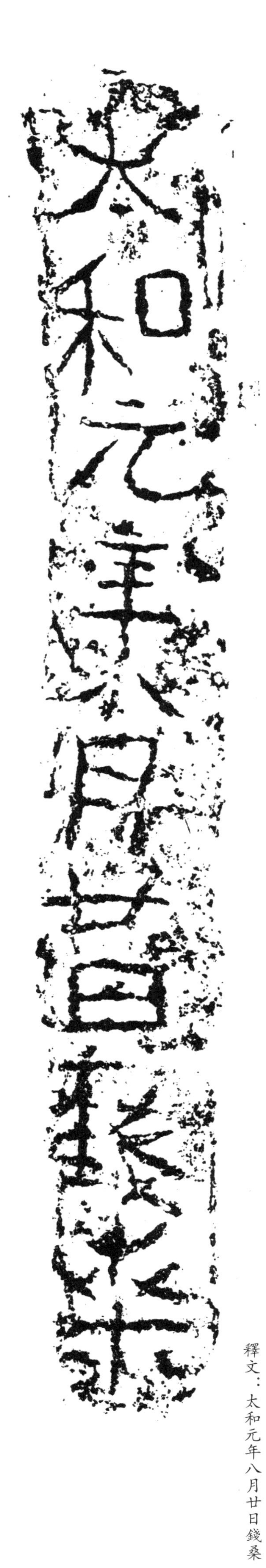

太和元年錢桑磚
釋文：太和元年八月廿日錢桑

太和元年磚
釋文：泰和元年九月三日宜侯王

太和元年高崧墓誌磚

釋文：晋故侍中騎都尉建/昌伯廣陵高崧泰和/元年八月廿二日薨/十一月十二日窆

太和二年督農孫磚

釋文：丁卯潛太和二年歲督農孫

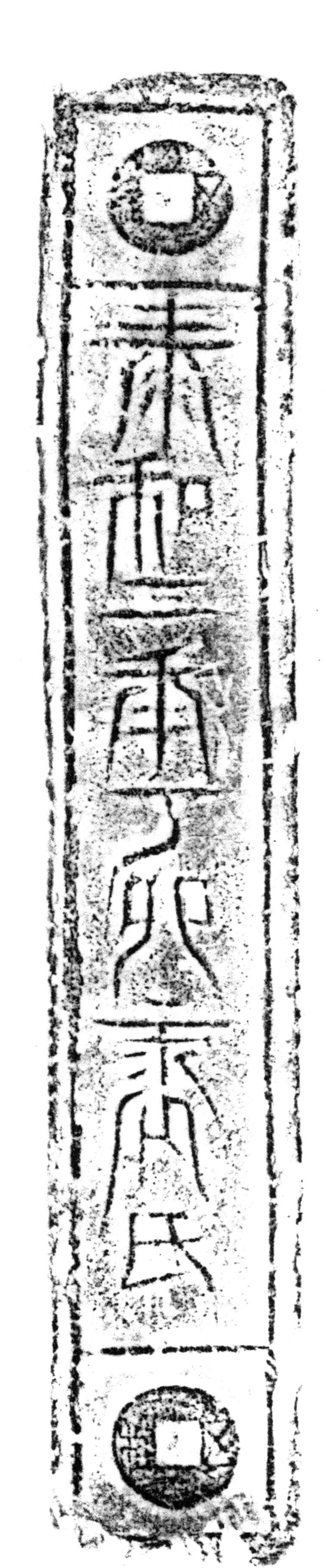

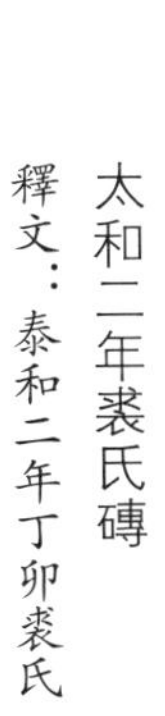

太和二年裘氏磚

釋文：泰和二年丁卯裘氏

太和三年王佡之墓誌磚

釋文：晋故前丹楊令騎都尉琅邪臨沂都鄉南／仁里王佡之字少及春秋卅九泰和二年／十二月廿一日卒三年初月廿八日葬于／丹楊建康之白石故剋石爲志／所生母夏氏／妻曹氏／息女字媚榮適廬江何粹字祖慶／息男摹之字敬道

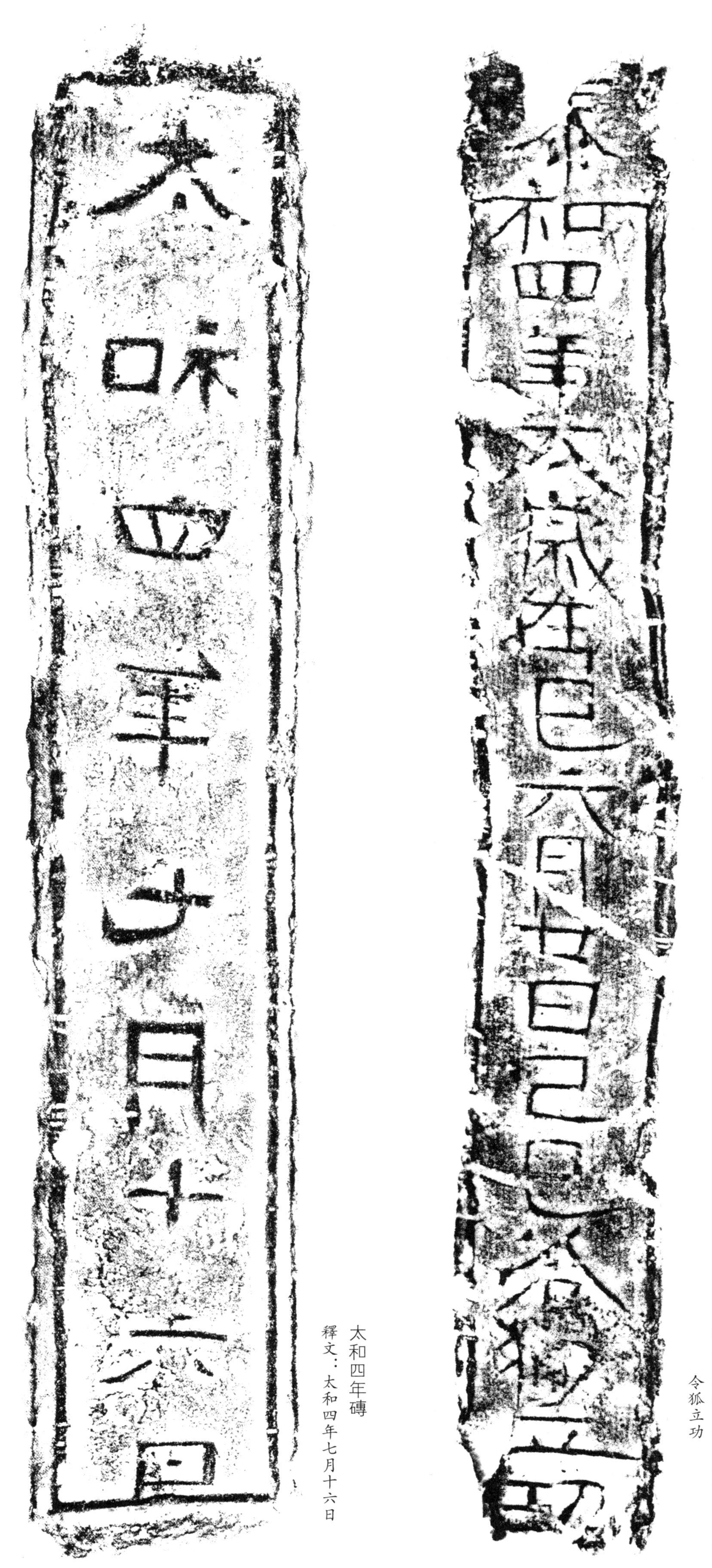

太和四年磚
釋文：太和四年七月十六日

太和四年磚
釋文：泰和四年太歲在巳六月廿日己巳令狐立功

太和六年俞羌磚

釋文：泰和六年八月廿日俞羌作

寧康元年俞閑磚

釋文：寧康元年歲□癸酉俞閑

寧康元年張君磚

釋文：晉寧康元年八月卅日故封興令張君墓

寧康元年張君磚

釋文：晉寧康元年八月卅日故封興令張君墓

寧康四年磚

釋文：寧康四年丙子歲晋故安

太元元年蔣世通磚

釋文：太元元年十月十日蔣世通

太元元年孟府君墓誌磚之一

釋文：泰元元年十二月十二日晋故／平昌郡安丘縣始興相／散騎常侍孟府君墓

太元元年孟府君墓誌磚之二

釋文：泰元元年十二月十二日晋故／平昌郡安丘縣始興相／散騎常侍孟府君墓

太元元年孟府君墓誌磚之三

釋文：泰元元年十二月十二日晉故／平昌郡安丘縣始興相散／騎常侍孟府君墓

太元元年孟府君墓誌磚之四

釋文：泰元元年十二月十二日晋故／平昌郡安丘縣始興相散／騎常侍孟府君墓

太元元年孟府君墓誌磚之五

釋文：泰元元年十二月十二日晉故／平昌郡安丘縣始興相／散騎常侍孟府君墓

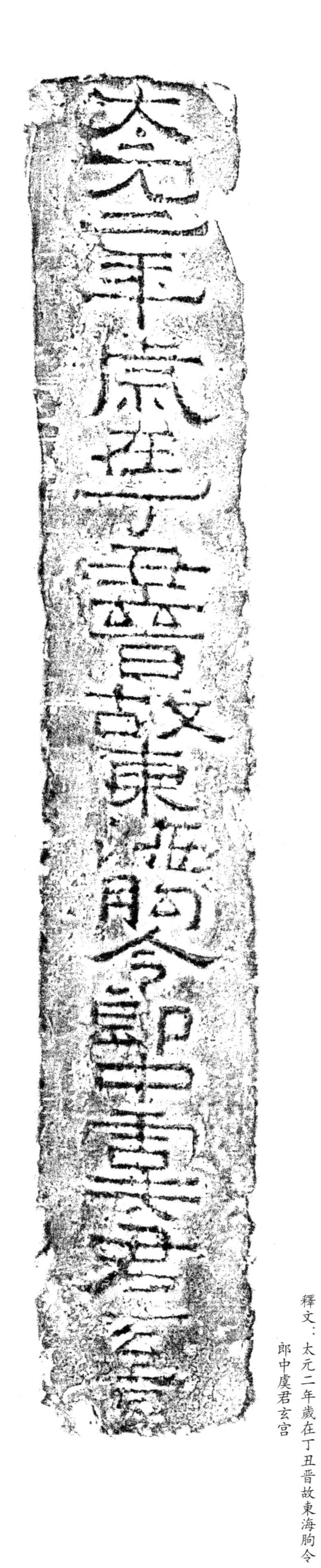

太元二年虞君磚之一

釋文：太元二年歲在丁丑晋故東海朐令郎中虞君玄宫

太元二年虞君磚之二

釋文：晋故朐令虞君之□□

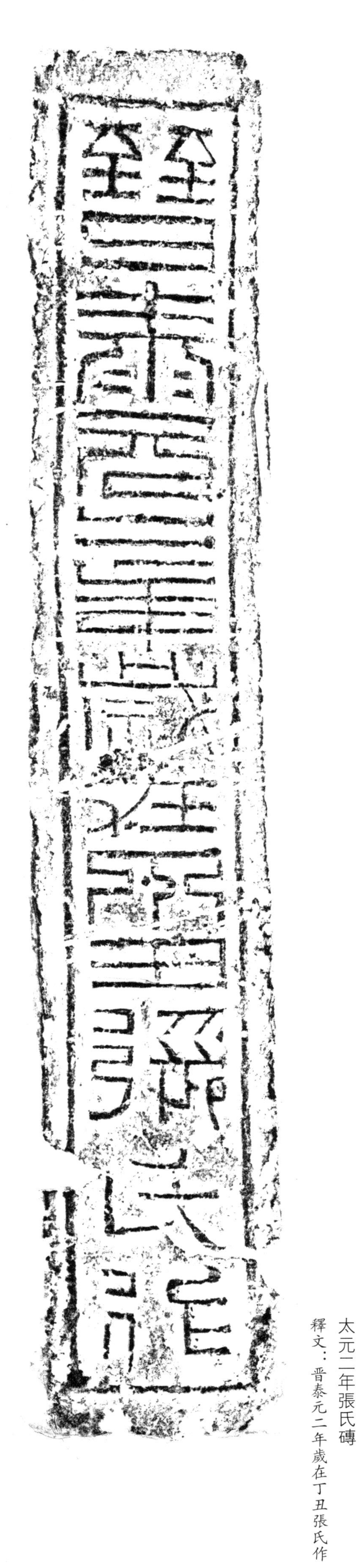

太元二年張氏磚

釋文：晋泰元二年歲在丁丑張氏作

太元二年余氏磚

釋文：太元二年歲在丁丑八月五日余氏壁

太元二年磚

釋文：泰元二年八月壬辰朔七日壬寅□氏

太元二年何氏磚

釋文：泰元二年八月廿一日起功何氏之墓

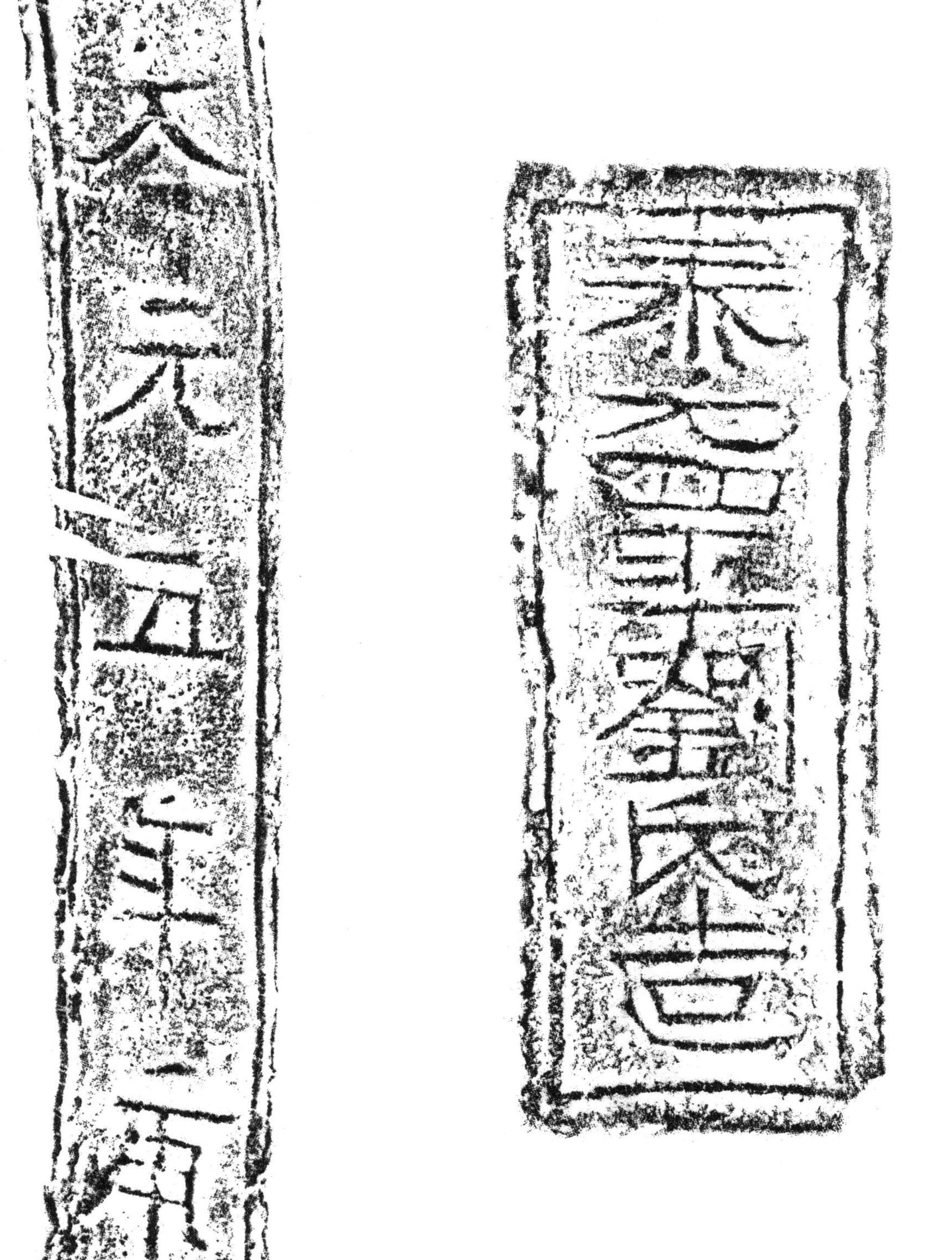

太元五年磚
釋文：晋太元五年庚辰立

太元四年劉氏磚
釋文：泰元四年劉氏造

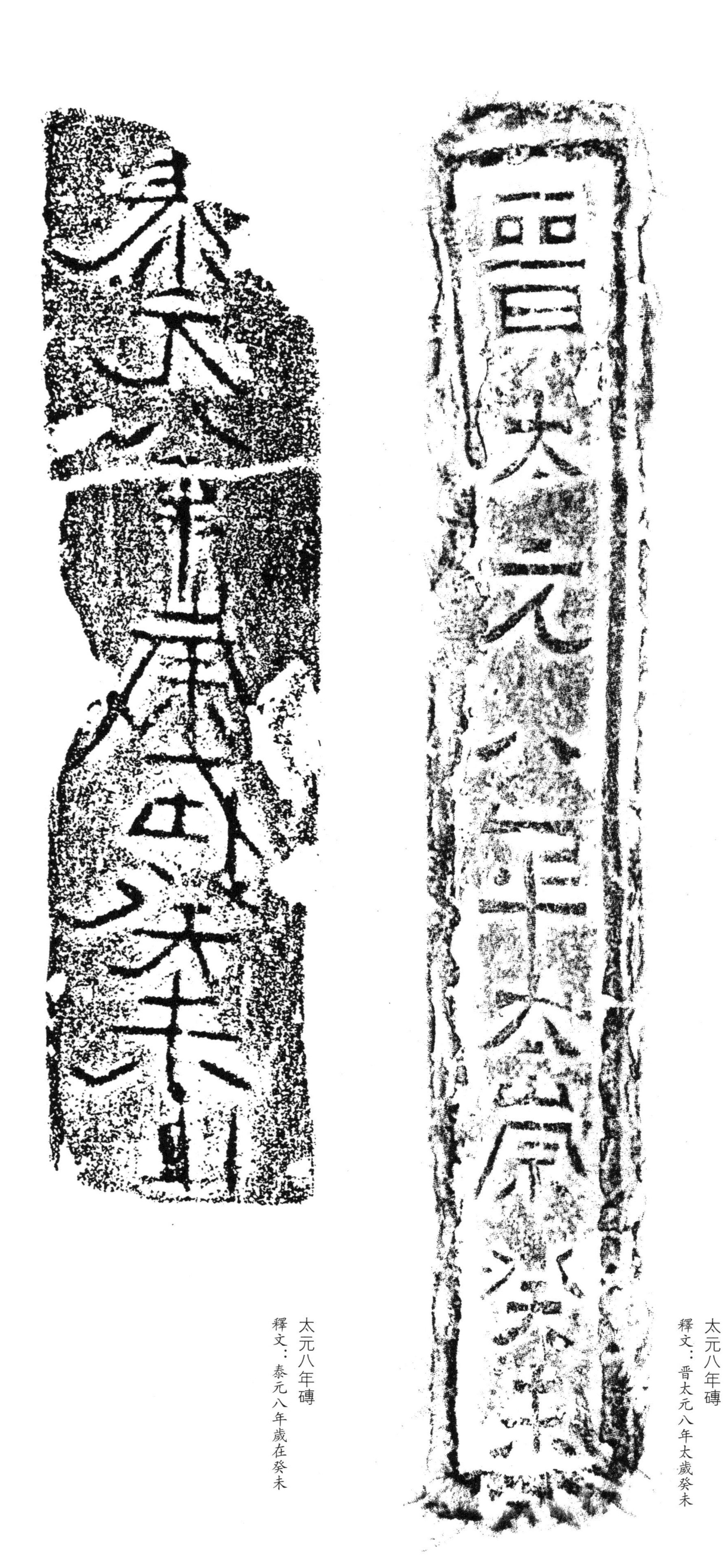

太元八年磚
釋文：晋太元八年太歲癸未

太元八年磚
釋文：泰元八年歲在癸未

太元九年任興磚

釋文：泰元九年三月任興

太元十一年沈氏磚

釋文：太元十一年丙戌歲沈氏

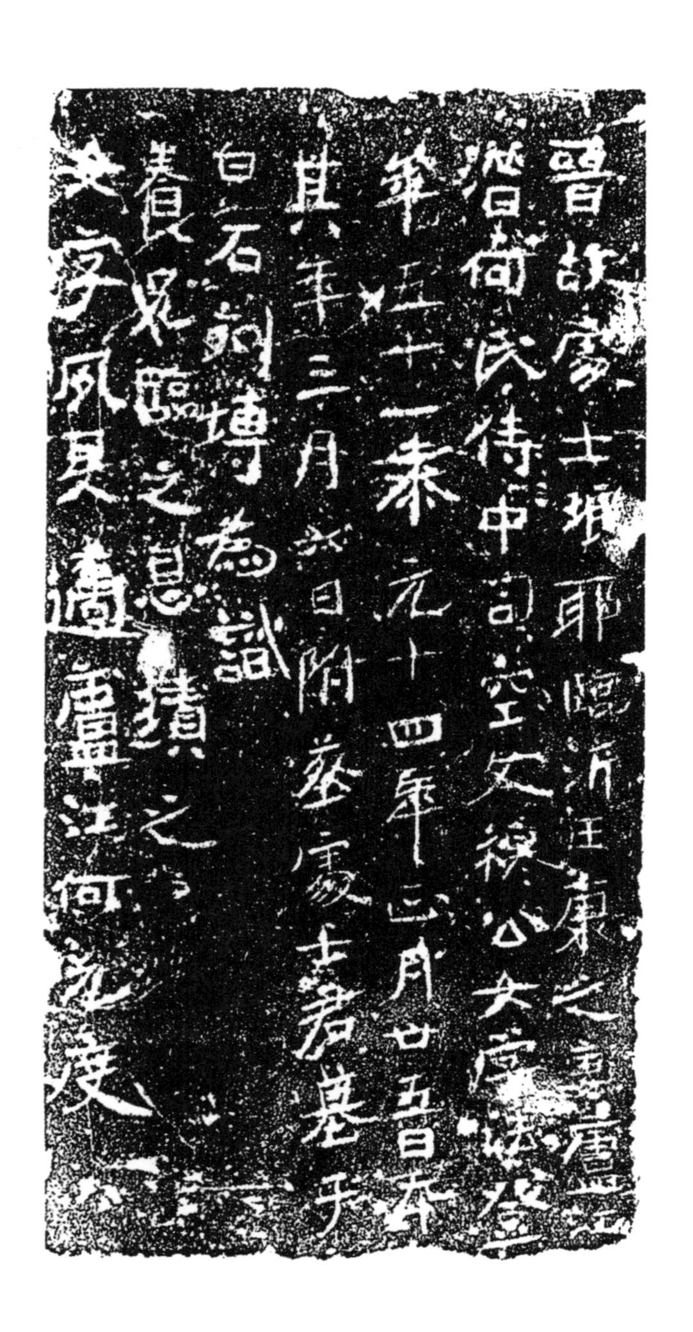

太元十四年王康之妻何法登墓誌磚

釋文：晉故處士琅邪臨沂王康之妻盧江／潛何氏侍中司空父穆公女字法登／年五十一泰元十四年正月廿五日卒／其年三月六日附塟處士君墓於／白石刻塼爲識／養兄臨之息績之／女字夙旻適盧江何元度

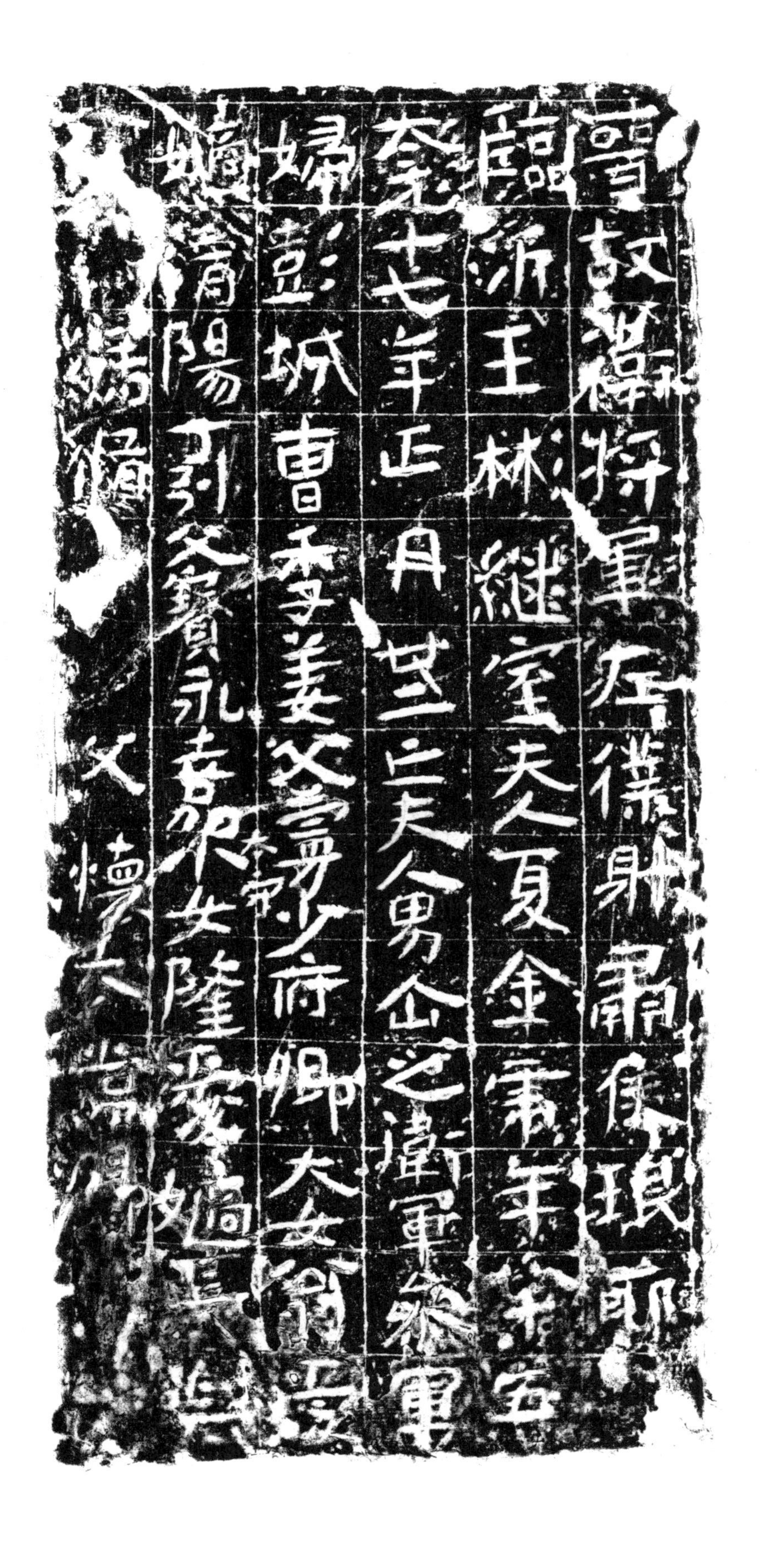

太元十七年王彬繼室夫人夏金虎墓誌磚

釋文：晋故衛將軍左僕射肅侯琅邪／臨沂王彬繼室夫人夏金虎年八十五／太元十七年正月廿二亡夫人男㕡之衛軍參軍／婦彭城曹季姜父蔓少府卿大女翁愛／嫡淯陽丁引父寶永嘉太守小女隆愛嫡長樂／馮循父懷太常卿

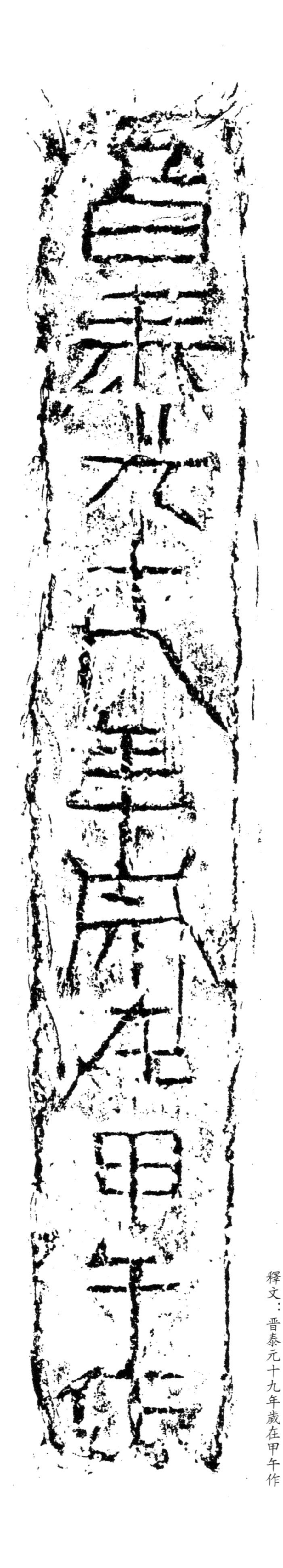

太元十九年磚

釋文：晉泰元十九年歲在甲午作

太元二十年磚

釋文：晉太元廿年

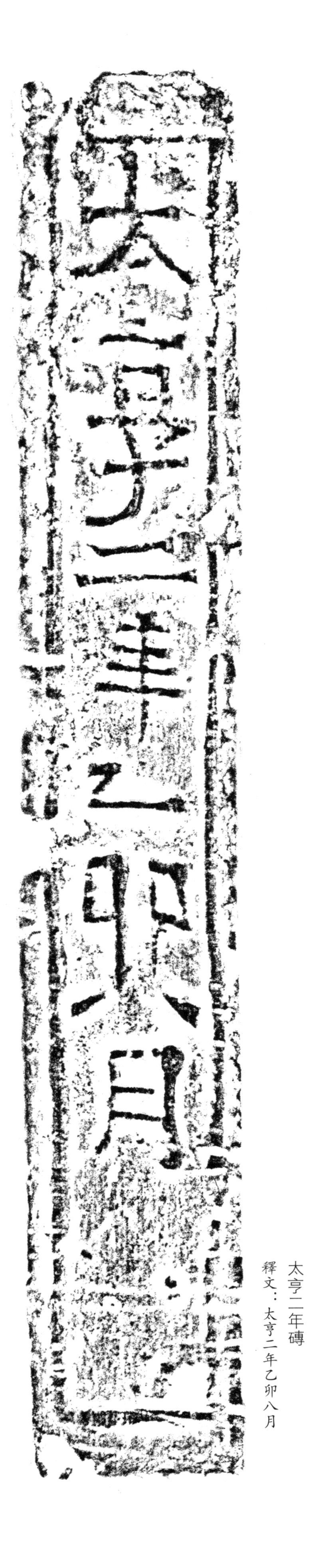

太亨二年磚

釋文：太亨二年乙卯八月

義熙二年磚

釋文：晋義熙二年建功

義熙四年磚
釋文：晋義熙四年

義熙五年張西陵磚
釋文：義熙五年己襄陽張西陵

義熙十二年謝球妻王德光墓誌磚

釋文：謝球妻王德光以義熙一十二年六月四日亡以其年七月廿五日合葬球墓

圖書在版編目（CIP）數據

兩晉至宋元磚銘書法．二／上海書畫出版社編；黎旭，王立翔主編．--上海：上海書畫出版社，2022.10

（磚銘書法大系）

ISBN 978-7-5479-2895-0

Ⅰ．①兩… Ⅱ．①上… ②黎… ③王… Ⅲ．①漢字－法書－作品集－中國－古代 Ⅳ．①J292.21

中國版本圖書館CIP資料核字(2022)第177043號

磚銘書法大系

兩晉至宋元磚銘書法（二）

上海書畫出版社 編

黎旭 王立翔 主編

責任編輯 張恒煙 馮彥芹

審　　讀 陳家紅

封面設計 王　峥

技術編輯 顧　傑

出版發行 上海世紀出版集團

上海書畫出版社

地址 上海市閔行區號景路159弄A座4樓

郵政編碼 201101

網址 www.shshuhua.com

E-mail shcpph@163.com

製版 上海久段文化發展有限公司

印刷 上海盛隆印務有限公司

經銷 各地新華書店

開本 889×1194mm 1/12

印張 8

版次 2022年10月第1版

2022年10月第1次印刷

書號 ISBN 978-7-5479-2895-0

定價 65.00圓

若有印刷、裝訂質量問題，請與承印廠聯繫